JN097292

AIR叢書 第4号

ウィズコロナ時代の都市イノベーション

公益財団法人 尼崎地域産業活性化機構

叢書第４号の発刊にあたって
――ウィズコロナ時代の都市経済――

コロナ禍、ウクライナ戦争など、これまで経験しなかった世界全体を巻き込む巨大で急激な潮流変化の中で、都市の経済も将来への展望をも見失っている。本書では、こうした状況を鑑み、尼崎の産業／経済システムにおいてこれまで看過してきた諸課題に焦点を当て、ウィズコロナの時代における都市経済活性化に向けた具体的な提案を行うことを目的としている。

その際、ここでは急進する知識経済・情報経済下における地域産業政策の在り方に焦点を当てることにした。知識集約化・情報集約化の潮流の中で、世界的に「新産業地域」「地域イノベーションシステム」「産業クラスター」など新たな産業集積論が顕在化している。現在では、イノベーション・エコシステムといった表現が一般化してきている。ここで、共通するのは、特定の分野における関連企業・機関群が地理的に集中し、相互に競争と協力している「関係性」の在り方への関心だ。イノベーションのインフラともいうべきこうした「関係性」の存在こそが、都市／地域経済の核となる。実際の政策では、地域固有の社会経済資源を戦略的に再編成することで、地域産業のダイナミズムの維持・強化をはかることにある。これからの地域産業政策は、「全国各地に国際競争力を有し、生産性を高め、イノベーションを生み出すような産業クラスター形成を促すことであり、そのためには地方に蓄積されてきた企業群、大学、社会資本を有効活用することによって、発展する可能性の高い地域、産業を集中的に政策支援する」（山崎朗（2009）「人口減少時代の地域政策」、経済地理学年報55、317-326頁）ことに尽きるといっても過言ではない。

こうしたイノベーション・エコシステムの成長こそ、これからの都市経済の基軸なのである。OECD はかかるメカニズムの核心となるのは「コネクション（結びつきや関係性）」の在り方だと指摘する。都市／地域内の多様な主体間の関係が硬直化したとき、イノベーション・エコシステムはその成長を止めてしまう。国内外を問わず、こうした状況は特に古い産業空間に多かれ少なかれ共通してみられる状況である。尼崎経済発展において、こうした関係性の「負のロックイン」*を解除しなければならない。

本書では、尼崎の産業／経済に関わる課題として、負のロックインによって硬直化した3つの主体に着目する。第一は、企業のイノベーション行動と関わっている。企業のR&Dは、企業の経済活動の核心でもある。近年、こうした創造領域の複雑化・加速度的変化などから1企業単体で担う限界が指摘されてきている。企業「秘密」のオープン・クローズ戦略は、これからの中小企業経営において必須といえるだろう。

第二の主体は人。ここでは、地域における労働市場を取り上げることにする。労働市場は、これまで基本的には国民経済のマクロ的視点から議論されてきた。しかし、実際には多様な地域労働市場こそが議論すべき対象のはずだ。本書では、尼崎地域労働市場を念頭に、地域の実情に即した労働市場政策について検討を行う。

第三の主体は、地方自治体。ここでは、自治体が担う産業政策に着目していきたい。自治体の役割は、尼崎産業／経済がSDGsの潮流の中で機動する制度・仕組みなどの「土俵」の形成にある。2015年9月に国連サミットの中で決められた2030年までの長期的な開発の指針であり、国際社会共通の目標である。実際には、SDGsは「17の目標」と「169のターゲット（具体目標）」で構成されており、今、世界各国・企業がその実現に向けて様々な努力を積み重ねつつある。今後、SDGsはビジネスを行う上での取引条件となる可能性も大きい。一方、新たな事業機会が創出されるなどの役割を果たすことにもなろう。活力を強化しつつある尼崎の企業群が、地域経済をも巻き込むこうした世界的潮流にいち早く気づき、先行して取り組むことに期待したい。その際、尼崎産業の未来を構想する地元自治体の広義の経済政策の視点と結びついていることは必須だ。

次世代の都市／地域経済は、企業がプレイヤーである市場と、政府・自治体などが担う公共セクター、そして市民グループやNPO等による市民セクターが連携し、場合によっては融合しながら形成・発展・成長を遂げることになる。直面するウィズコロナ社会における次世代都市産業の行方、政策の在り方を議論したい。

＊「負のロック・イン」：都市の自己増殖的優位から、集積自体が立地する空間にロック・イン（凍結効果）を生じさせる。初期には成長を促す“正の効果”を持つが、長期的には集積の変化や核心を阻害する“負の効果”を及ぼす可能性がある。かつて、日本の高度経済成長を支えた都市や地域の経済は、その多くが様々な「負のロック・イン」に直面している（藤田昌久（2003）「日本の産業クラスター」石倉陽子・藤田昌久 他著『日本の産業クラスター戦略――地域における競争優位の確率――』有斐閣、15-34頁）。

令和５年５月

公益財団法人　尼崎地域産業活性化機構
理事長 加藤　恵正

本書にご寄稿いただきました産業技術短期大学 小島 彰学長（執筆時点）は、2023年１月31日に逝去されました。玉稿をお寄せいただきましたことにお礼を申し上げますとともに、ご冥福をお祈りいたします。

執筆者一同

目次

特集論文〈Ⅲ〉自治体の政策とSDGs

特集論文〈Ⅳ〉総括

研究報告

〈巻頭言〉
“あまがさき”を次のステージに！

松本 眞
尼崎市長

1 はじめに

令和４年（2022年）12月に尼崎市長に就任し、今後の市政の発展に向けて重責を担うこととなった。限られた任期中ではあるが、持続可能な形で尼崎市が長期的に発展していけるよう、全力で職務にまい進していきたいと思っている。

「まち」は、政治・行政システム（国、都道府県、基礎自治体の各政治・行政システム）、そして経済システム、社会システムなど、各システムが連関をしながら形づけられているものであり、それぞれのシステムは、「グローバル化」という大きなうねりに影響を受けながら、また、各システム相互に影響を与え合いながら機能しているものと私自身は考えている。

そして、各システムの最終的な目標は、人間社会が一定の物理的・心理的安全が保たれ、持続可能な形で存続していくことである。これは「言うは易し行うは難し」であり、絶え間ない努力が必要である。「市政のかじ取りを担う」ということは、基礎自治体の政治・行政システムの「要」として、基礎自治体の政治・行政システムを安定的に運営するとともに、各システムとどのような相互関係を築き、また、影響を与え合っていくかを考え、実行していくことである。

では、基礎自治体の政治・行政システムの役割とは何か。そして、それぞれのシステムにどのような影響を与えうるのか。

基礎自治体の政治・行政システムの役割は、基礎自治体のエリア（市域）の政治・行政システムの「要」として、当該エリアの経済システムと社会システムの結節点となることである。

「朝、希望を持って目覚め、昼は懸命に働き、夜は感謝と共に眠る」

著名な政治家やスポーツ関係者がこのような言葉を語っているが、一人ひとりの人間が、毎日、生活をし、働いていくための基盤を支えるための「要」が、基礎自治体の政治・行政システムである。

そして、その強みは何か。

それは、一人ひとりの人間と最も距離の近いシステムであるということである。

例えば、朝、希望を持って目覚めることができない人がいるとする。その課題は、個人の課題なのか、各システムの課題なのか。

人間社会は、こういった個別の課題を抱えている一人ひとりの人間の課題に対して、社会的な課題を同定して、その解決策を考え、各システムに組み込んでいく、または各システムを調整していく、そこにこそ、持続可能性の本質がある。

マクロな見通しも大事であるが、そういった個別具体的な課題から、各システム及びシステム間の課題を考え、改善していくサイクルを作っていく、その起点となること、このことこそが、基礎自治体の政治・行政システムの最大の役割である。

もう少し、具体的に考えてみる。

先日、人権問題について考える機会があった。例えば、日本の裁判所における違憲審査においては、「抽象的違憲審査制」は否定されていることは有名な話である。これは、個人または法人に対して、個別具体の権利侵害がなければ、違憲審査における裁判の当事者適格を有しない（これを、「付随的違憲審査制」という。）ということであり、すなわち、社会問題一般論に対しては、裁判所は取り扱うことはできないことを意味する。

一方で、当該社会問題を放置していくと、遠からず、個別具体的な権利侵害が起きる、または中長期的には、社会のシステム全体に悪影響を及ぼす可能性があるということがある。

例えば、経済システムにおける性役割意識であったり、マイノリティに対する取扱いの差別であったりである。また、環境問題もそうである。

こういった課題に対して、私は、基礎自治体の政治・行政システムの要として、個別具体的な権利侵害が起きる前に、「社会的な問題」として取り上げ、各システムと対話をしながら、各システム間の調整を図っていくことができることが理想だと考えている。少し、パターナリスティックであり、おせっかいかも知れないが、政治・行政システムしか担えない役割だと思っている。

こういった役割を担うためにも、私自身は、一人の政治家として、そして市長として、各システム間を行き来し、そして、自らの「基礎自治体の政治・行政システム」の仕組みを最大限に活用していきたいと考えている。

それを、平易な言葉で表すとすれば、所信表明演説で申し上げた「対話重視」、「実行力」、「誰一人取り残さない」になる。

そして、私自身が今考えている、人間社会が持続的に発展していくために基礎自治体の政治・行政システムが積極的に果たす役割は、これも所信表明演説で申し上げた５つの柱になる。このため、本稿では、その柱を紹介することに代えて、私の寄稿文とさせていただきたい。

なお、冒頭述べたように、各システムは常に連関をし、相互に影響を与え合っている。そして、これらシステムは、グローバル化の影響の中にある。

このため、これら５つの柱も、当然、時代によって変遷をし、私自身は、その時代の流れを先読みし、柔軟に対応していくことが求められていると考えている。

2　尼崎の魅力

尼崎市は「おせっかい」という言葉がぴったり来るように、市民の温かさに溢れ、多様性に富んでいる。困っている人がいればお世話をし、新しいことに挑戦しようとする人を面白がるなど、飾らずに自分を表現したり挑戦しようとしたりすることを許してくれる寛容性がある。「機能分化」や「効率性」のみを追求しない、まさに、これからの社会で求められている「Well-being」にもつながる風土であることが魅力だと私は感じている。

一方、尼崎市は戦後、工業都市として急速に発展を遂げた反面、公害問題に苦しみ、さらに、成熟社会を迎える中で、財政難という大きな課題に直面してきた。しかし、こういった中でも、行政だけでなく、市民、事業者等、様々な主体が一体となり、こうした課題の解決に向けて着実に歩を進めてきた。その結果、環境の改善をはじめ、財政の健全化、治安の改善、学力や都市イメージの向上など、少しずつ、次のステージに向けた「胎動」が始まりつつある。これは、まちを良くしようと取り組んでこられた多くの方々の努力が、具体的な形となって現れた成果であると考えている。

これからのまちづくりでは、尼崎市の魅力を発信するとともに、こうした「胎動」を確実なものとし、尼崎市を「住みたいまち」、「住んで良かったまち」、そして誰もが関心と興味を抱き、「人が集まる賑わいのあるまち」へと発展させ、「次のステージ」に進めていきたい。

そのためには、様々な施策を連関させ、全体の底上げを図っていくことが重要だ。特に子育て世代が安心して子育てをし、多様な教育を受けることができるようなまちに向けた取組や住環境整備、マナーの向上など、まちの魅力とイメージの向上に向けた取組を進めていく。

①「子育てのまち」、「学びたいまち」あまがさき

日本全体で少子化による人口減少が進行しており、国同様、本市の人口についても減少傾向にある。長期的に尼崎市の成長を考えたとき、ファミリー世帯の定住・転入の促進は不可欠であり、そのためにまず力を入れるべきは「子育て・教育」の充実だ。私自身の文部科学省、教育長としての行政経験も活かしながら、「子育てのまち」、「学びたいまち」の実現に向けた取組を進めていく。

「子育てのまち」の実現については、地域でできる子育て支援の充実・子育て負担の軽減として、まずは広く子育て世帯が対象となるよう、18歳までの子どもの医療費の無償化に向けた取組を着実に進めていきたい。

また、保育ニーズの多様化が進む中、エリア別の保育の量の推計等を踏まえた待機児童対策などの取組を進めるとともに、子どもの育ち支援センター「いくしあ」を中心に、関係機関との連携を強め、妊娠・出産から就学後までの切

れ目のない相談・支援を充実させ、子育て世帯の負担の軽減を図る。

さらに、令和８年度に設置予定の一時保護所を含む児童相談所では、「いくしあ」と一体的な支援を行うことで児童虐待などへの対策を強化したい。

教育で身に付けるべき力は本来、一人ひとりが社会の中でたくましく生きていくための力を育むものだ。「学びたいまち」となるため、学力の向上に向けて、基礎・基本の定着に加え、自ら考える力の育成や、それを支える指導力の向上などの取組をさらに進めていく。また、スクールロイヤーの配置などいじめ問題への対応や、不登校児童生徒等への対応の強化、障害のある子どもや医療的ケア児の学習を保障するなど、インクルーシブな教育の推進を含む、教育の多様性に対応できる環境整備を図る。

②　誰もが暮らしやすいまち

市政の根幹部分は、一人ひとりの市民に寄り添い、その生活と財産を守り、「誰もが暮らしやすいまち」にすることにある。こうした認識を持ちながら各施策を充実させ、社会的なセーフティネットの機能を果たしていくことが重要だ。

尼崎市では、高齢の方、障害のある方、性的マイノリティの方、様々な国籍の方など、多様な方が生活している。「誰もが暮らしやすいまち」となるには、あらゆる人権が尊重される必要があるが、人権については常に新しい課題が生じている。そのため、継続的な普及・啓発に努め、人権文化がいきづく地域共生社会を目指していく。

そして、少子化・高齢化がますます進むことが見込まれる中、高齢の方が何歳になっても健康で自分らしく生きがいをもって暮らすことができるよう、地域に出る機会や介護予防の取組などを充実させ、きめ細やかな支援に向けた基盤づくりや支援体制づくりを進め、また、障害のある方やその家族が望む地域生活を送ることができる環境の整備を進める。

さらに、各地域課を中心に地域でコミュニケーションを取ることができるよう支援し、地域住民主体の見守り活動の推進や社会的孤立を防止するとともに、支援者間の連携の強化や、地域防災力の向上などにも努めていく。

③　住環境整備、まちの魅力とイメージの向上

近年尼崎市においては、JR尼崎駅周辺やJR塚口駅周辺などが再開発され、駅前を中心とした住環境が大きく改善した結果、「住みやすいまち」として再評価されるようになった。この流れを加速させるためには、教育や福祉などのソフト戦略と併せて、まちの魅力とイメージの向上に向けた取組が必要となる。

まずは、良好な住環境整備とまちの活性化のため、阪神尼崎駅前や阪神大物駅周辺など民間と連携した「駅前の賑わいづくり」に向けたプロジェクトを推進するとともに、質の高い住宅供給の促進や空き家対策などに向けた外部専門家会議を設置し、具体的な検討を進めていく。

また、本市では公民館と地区会館を、学びと活動を支える施設「生涯学習プラザ」として市内12か所に設置している。この「生涯学習プラザ」を拠点に市民発意の取組や協働を促進するとともに、一層の地域支援機能の充実を図る。

さらに、他都市と比較してまだまだ不十分と言われている図書館機能を充実させ、併せて歴史博物館と連携を図るなど、歴史・文化について学ぶ機会の充実に向けた取組も進めていく。

また、まちのイメージを向上させていくためには、市民の安全・安心を確保することが不可欠だ。

かつて尼崎市では、ひったくりや自転車盗難などの街頭犯罪の発生件数が多く、その対策が課題であった。そこで、警察などと連携し様々な取組を進め、刑法犯全体の減少、治安の改善につなげてきた。今後も引き続き、犯罪発生状況の分析や犯罪種別に応じた取組といった、戦略的な防犯対策などを通じて市民の安全・安心を守るとともに、「体感治安」の向上を図る。また、2018年に制定した「尼崎市たばこ対策推進条例」を踏まえ、路上喫煙対策を強化することで、受動喫煙とポイ捨てのないまちを目指した取組を進める。

こうした取組に加えて、まちの魅力を戦略的・効果的に情報発信することなどを通じてプロモーションを強化し、まちのイメージをより向上させたい。

④ 地域経済の活性化と脱炭素社会に向けた取組

尼崎市は、歴史的に様々な企業活動によりその発展が支えられてきた。「住みやすいまち」としての評価が高まりつつある今、地域産業の発展と住環境整備の両輪で、まちを成長させていくことが重要となる。

産業構造が大きく変化し、雇用が流動化している中で、終身雇用や年功序列など、日本の従来の雇用慣行が転換の時期を迎えている。労働人口の減少が進む中、とりわけ労働生産性の向上が必要であり、イノベーションを促進するとともに、多様な働き方の実現に向けた取組の推進、さらには海外からの投資の拡大を図ることが重要だ。そのための外部専門家会議を設置し、政策の方向性に関する意見交換を行いながら具体的に検討を進める。

若者が新しいことにチャレンジをして、新たな価値を創っていく、そして、尼崎から全国へ、さらに世界へと挑戦することを応援できるような環境を作っていく。そのための新規産業創造支援や事業継続支援に力を入れていきたい。

そして、性別や年齢などに関わらず、それぞれが持てる能力を最大限発揮できるような市内就労環境の実現に向け、職業能力開発や企業との対話を推進するなどの取組を充実させる。そして、「あまやさい」の給食等での利用推進や、尼崎産農産物のブランディングなどを通じた市内農業の推進、商店街の活性化をはじめとした地域内経済循環の促進を図っていく。

さらに、とりわけ南部を中心として、尼崎市の有する豊富な歴史・文化的資源と商店街等とが連携しながら、海外からの観光需要を高めるための戦略的なインバウンド推進を図る。

また、本市は「尼崎市気候非常事態行動宣言」を表明し、率先して「省エネ対策」、「再エネ導入」の取組を開始している。こうした、市の公共施設の建設・改修等にあたっての環境配慮も含め、食品ロス、プラスチックごみの削減など、2050年までに二酸化炭素排出量を実質ゼロとする脱炭素社会に向けた取組を着実に推進していく。

⑤ 市民とともに市民に寄り添う市役所

尼崎市は2002年から20年間にわたり女性市長の下で市政が進められてきた。

それがこの度、男性市長に代わったという事実に、まずは、私自身がしっかりと向き合う必要があると感じている。そして、市政の重要事項の意思決定に女性の視点が入るよう、女性幹部の積極的登用を進めることをはじめ、多様性を重視した組織体制を構築していかなければならない。

また、福祉人材の確保と育成、最高情報責任者の設置などによる情報セキュリティの強化、デジタル化推進体制の強化、NPOや民間企業等との透明性を確保した上での積極的な連携など、組織体制の強化にもしっかり取り組みたい。

加えて、これまで、長年、尼崎市が努力し続けてきた堅実な財政運営を遵守し、持続可能な行財政運営を行いつつ、外郭団体の改革と戦略的な活用推進も進めていく。

3　おわりに

私は、以上のような5つの観点から施策を推進していくことを掲げているが、市政は常に動いており、時にはより柔軟かつ迅速な対応が必要だ。

2025年に迫った大阪・関西万博を契機とした国や兵庫県、大阪府等との連携強化によるベイエリアの活性化や環境保全に配慮し地球温暖化対策に貢献する新しいごみ処理施設の建設など、すでに進行中であるプロジェクトも多く控えている。

様々な分野にアンテナを高く張り、尼崎の成長のために、臨機応変かつ機動的な対応ができるよう心掛けたい。

基礎自治体たる尼崎市政の基本的役割とは、まちの成長のビジョンをしっかりと描きつつ、一方で、生活している市民の皆様の息遣いを感じ取り、それぞれが抱える課題にしっかりと寄り添うことにある。

市民の生活は、市政だけでなく、県政、国政とそれぞれが複雑に関わり合いながら支えられているが、その中でも市政が最も市民の皆様と距離が近く、そして声を拾い上げることができる立場にいる。だからこそ、この強みをしっかりと活かして尼崎市政を運営していくことが大切だ。

私自身はもとより、全職員が、あらゆる場面を通じて、「誰一人取り残さない」という意識を持ち、市民の皆様との「対話」を積極的に続ける姿勢を大事にした上で、県政や国政も巻き込みながら、是々非々で議論を深めていく。そして、具体的な施策へと具現化していく「実行力」を重視しながら、初心を忘れることなく、全力で「あまがさきを次のステージに」進めていきたい。

〈巻頭言〉

尼崎商工会議所の取組とこれからの事業展開について

――“企業と人が活きづく街は、美しい”を目指して――

大久保 和正
尼崎商工会議所 会頭

1 はじめに

2021（令和３）年３月から副会頭職を拝命し、2022（令和４）年４月からは吉田修（音羽電機工業株式会社　代表取締役社長）前会頭から引き継ぎを受け、第33代尼崎商工会議所会頭に就任し、大きな責任を感じている。

わが国を取り巻く経済環境は、過去20年以上にわたり物価、賃金、生産性がほぼ横ばいという停滞が続き、厳しい状況にある。さらに、新型コロナウィルス感染症の拡大やロシアのウクライナ侵攻、世界的なインフレなど、大きな環境変化が次々と押し寄せ、極めて予測困難な状況が続いている。

しかし、私たちは、今後、こうした大きな環境変化に対応しつつ、成長軌道に戻していくための重要な時代を迎えようとしている。

こうした中、商工会議所においては、これからの時代はより現実的で具体的な取組が求められている。時代の変遷に対応していくためには、これまでに培ってきた財産を大切に守りつつ、新たな時代にチャレンジしていくことが必要だ。

弊所では、「企業と人が活きづく街は、美しい」をスローガンに、国・県・市の行政や他の団体等とも連携を図りながら、地域経済を活性化する一助となるような事業を展開していく。

2　取り組みについて

（1）尼崎に“にぎわい”を取り戻す

近年、我が街尼崎に目を向けると、明るい話題が出てきている。2025（令和7）年の大阪・関西万博開催に向け、尼崎港の新たな埠頭の整備計画が進んでいるほか、同じ年にプロ野球阪神タイガース2軍の尼崎への本拠地移転が進んでいく。

こうした明るい動きに乗じ、地域全体への波及効果が生まれるよう弊所は率先して行動し、新しいビジネス機会を提供できるよう努めていきたい。

尼崎が、“にぎわい”を取り戻すためには、話題性の溢れるまちになり、市内外を問わず各地から多くの方々に訪れていただく仕掛けが必要だと思う。“産業都市”としての特性を生かし、情報を発信するとともに、市内の伝統ある商店街・市場や製造事業者等の魅力に触れていただく機会を設け、新たな“尼崎ファン”づくりの発掘に力を注いでいく。

（2）中小企業・小規模事業者を丁寧に経営支援

2020（令和2）年2月以降、新型コロナウィルス感染が拡大してからは、行政施策としてたくさんの補助金メニューが準備され、弊所経営指導員等の職員はその申請支援に日々追われている。補助金の申請にあたっては、事業計画を作成するために事業所に寄り添うように「伴走型支援」で、これまで以上に丁寧な支援を心掛けている。

こうした支援の成果により、会員事業所数は、長きにわたり目標会員数としていた5,000会員を達成し、現在に至っている。

中小企業や小規模事業者に対する支援機関として、商工会議所はこれまで以上に求められる存在になり、経営相談においても、専門家と連携を図りながら、より高度な経営課題の解決に向けて積極的に取り組んでいく。

（3）「事業所」や「地域」情報を発信する

尼崎市内には、技術力が高く、国内でトップシェアを占める技術や製品を持った製造業者や他社とは一風変わったサービスでお客様から指示を得てファンの多いサービス業者等が多数存在している。ただこうした企業の強みが広く一般に認識されておらず、まだまだ知られていないことがたくさんあるように思う。

こうした企業の持つ技術やノウハウなど様々な事業所情報を商工会議所が中心になり、収集し、情報の発信に生かし地域内で共有していくことで、企業間連携を促進できれば、新たな産業の一助につながるのではないかと考えている。

尼崎のまちの人々は、気さくで親しみやすく、下町気質をもった庶民の街という評判をよく耳にする。また、尼崎城が建設され、その周辺の寺町や商店街を訪れ、「地名めぐり」という企画ではNHKで放映されたアニメファンの若者たちがそのキャラクターの地名のまちを訪れ、周遊していくという魅力あるまちに変貌していっている。

事業所情報のみではなく、まちの温もりをもった地域の特性やその魅力を市内外の方々に発信し、弊所の情報発信が地域への集客につながることも期待したい。

3　新たな事業展開について

（1）次世代の産業人材を育成・支援

将来の市内産業の活性化を担う子供たちに対しては、職業観や働くことへの関心をもち、地元企業の魅力を知ってもらい、その子供たちが成長してから市内に残って地元の企業に就職してもらいたいという想いを込め、「次世代の産業人材育成事業」を実施。2016（平成28）年から行政、教育委員会、PTA、その他経済団体とともに「実行委員会」を立ち上げ、事業をスタートさせた。

本事業では、小学生の高学年を対象にした「しごと体感ゼミナール」、中学生を対象にした「オープンファクトリー」等を主要事業として実施し、たくさんの小中学生から応募があり、大変人気を博した事業となっている。

新たに、同委員会では、IT 人材を育成しようと「IT 人材育成のためのプログラミング事業」を支援できるように2022（令和４）年度から取り組みを始めている。

行政や学校などの教育機関と更に連携を強化し、この事業で学んだ若者がIT スキルを身に付け、地元の企業に就職し、IT 人材として活躍してもらえるように期待したい。

（２）「100年企業の会」から学ぶ事業承継

「100年企業の会」は、2021（令和３）年度設立され、吉田前会頭から引き継いだ事業である。弊所では、春と秋の議員総会の席上で、社歴とその実績の栄誉をたたえ、周年事業所（30周年以上で10年ごとの経歴がある事業所）を表彰させていただいている。100年以上続く事業所の長寿の秘訣は何か、どのように後継者に引き継ぎその会社は発展していったかなどを一般の会員事業所に伝授し、同じように経歴・実績を重ねてきた事業所においては情報交換の場にできるような取り組みにしていきたい。

事業承継は、今後、持続可能な経営を目指していく上で、最も難しい課題になると考えられ、悩んでいる経営者も多い。市内の事業所の方々のヒントになれば幸いだ。

（３）創業者支援を更に充実

尼崎市では、2015（平成27）年度に「尼崎市内における創業支援に関する連携協定」を締結し、弊所は行政・地域金融機関等と連携した「オールあまがさき体制」の構成団体の一員として創業者支援を実施している。

弊所では、創業窓口相談が2020（令和２）年度以降増加傾向にあり、経営指導員等が創業融資における事業計画の作成や小売店舗の創業であれば立地に関する相談等について対応している。

こうした創業支援に更に取り組んでいくためには、ハードルは非常に高いかもしれないが、IPOを目指す創業者を支援できる体制をつくり、海外からも投資家を呼び込み、尼崎で生まれた創業者のスタートアップ時期を強固にサポートできるような仕掛けを充実させることが必要だと考えている。

4　おわりに

商工会議所の主なミッションは、地域の諸問題を解決し、地域経済が発展するよう、地域経済社会の代弁者として要望活動やまちづくり、そして元気な企業の創出等を積極的に展開し、その実現を図ることだ。

140年前に商工会議所を創設した渋沢栄一翁は、「企業は利益を追求することは当たり前だが、同時に公益にも心をもちいなければならない」とし「私益と公益の両立」を唱えた。この考え方を精神的支柱とする商工会議所活動は、SDGsの理念を体現したものだと言える。弊所でも、こうした理念を中小企業においても更に普及できるように、引き続き行政や財団法人尼崎地域産業活性化機構をはじめとした各経済団体と連携しながら、企業の環境経営に向けたサポートに取り組んでいく。

会頭就任時に、“GoGo（55）尼崎活動”と名付けて、5,500会員を目標に、弊所事務局職員はもとより、議員や青年部・女性部などの会員事業所の方々にも「会員拡大のご協力」を呼びかけている。

会員事業所の皆様と共に手を携え、行政や市内経済団体等と更なる連携を図り、いかなる困難にも果断に取り組むことで、「企業と人が活きづく街・尼崎」を実現していく所存である。

〈特別寄稿〉
尼崎市の都市と地域経済の再生について

森山　敏夫
尼崎市副市長

1　はじめに

都市と地域経済の再生のためには、地域経済循環、行政・企業・市民社会におけるイノベーション、イノベーターの活動が重要であり、そのために都市がどうあるかについて述べる。

尼崎市は、日本の近代化過程において、工業都市として計画され、今も製造業を主産業とする都市構造、財政構造を持っている。一方で、製造業を取り巻く国際的、社会経済環境の変化は著しく、持続可能な産業都市であるために、また、市民社会であるためには、行政は、どのような街づくりを目指すのか変革が問われている。都市経営、都市財政として、限られた政策財源を、いかに、経済的、効率的、有効的に使うのか、地域経済循環の観点から考察したい。とりわけ、都市再生では、都市構造のあり方だけでなく、産業政策、福祉保健政策、環境政策、地域コミュニティ政策など、多様な主体の活躍の場となることを視点として持つ必要がある。

2　地域経済循環の重要性

地域経済が自立した状態とは、地域内での民間や行政による投資が成長につながり、事業所の利益や市民の所得となり、それが市内での投資や消費となる循環を作ること、すなわち、市内で稼いだ金は、出来る限り市外に流出させない構図を作り出すことと考える。

地方自治体は、市民福祉の向上、地域経済の発展のために、様々な事業を展開しているが、市独自の政策を行うためには、自主財源である税金の多寡が大きく影響する。市が徴収する主な税は、個人市民税、法人市民税、固定資産税であり、これらは、個人の所得、企業の利益、資産形成により得られる税金であり、このための税源涵養に資する事業を行うことが、結果として、富の再分配となり、広く市民福祉や市民生活の向上につながり、政策が機能しているといえる。

これまでの都市財政の投資は、主に有形資産であるインフラなど社会資本への投資であった。特に産業都市である尼崎市は、道路、港湾、鉄道、水道や工業用水道が産業発展を支え、それに伴い増加した人口増に対し、行政サービス施設、教育施設、福祉施設、住宅、再開発など、いわゆるパッシブな都市政策に注力してきた。しかし、製造業のサービス化を含め、産業構造がサービス業にシフトしていく中で、企業価値は無形資産に移りつつあり、また、地域において、ソーシャルビジネスやコミュニティビジネスなど新たなビジネスの場が生まれていることを考えると、今後の都市財政での投資は、アクティブな都市政策として、経済の好循環、社会課題の解決、民間の投資を促す投資であることが求められ、無形資産である社会関係資本や人的資本の形成への投資が重要となる。これら３つの資本形成により、尼崎の地域経済や地域社会に様々なイノベーションを促すことが必要かつ不可欠と考える。

図１

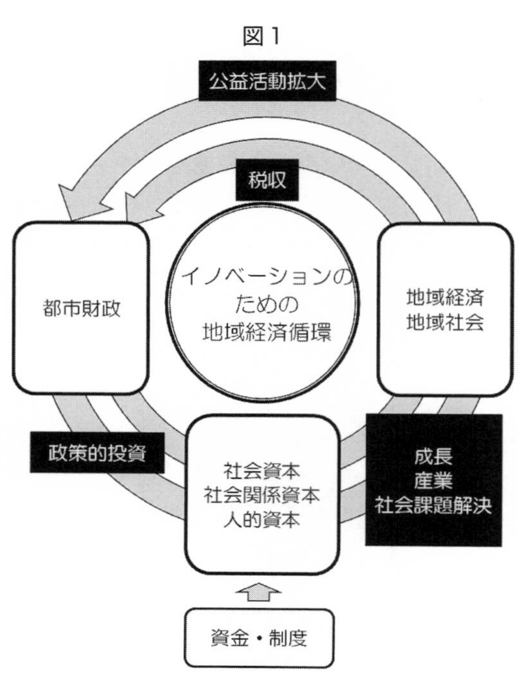

出所：筆者作成

3　社会経済環境の変化

都市が変化し続ける社会経済環境に柔軟に対応するためには、SDGs、都市再生、エコシステムの考え方を内部目的化しておく必要がある。

(1) SDGs

世界は持続可能な発展を求められており、2030年のSDGsの達成、2050年の脱炭素達成に向け、バックキャストで動き出している。SDGsは、持続可能な世界を実現するための17の目標と169のターゲットを定め、地球上の誰一人として取り残さないことを誓っている。SDGsの推進は、地方創生、都市再生に資するものでもある。とりわけ脱炭素とエネルギー問題への対応は深刻さを増している。

(2) 都市再生

尼崎を始め、都市化が急速に進展する過程では、集中する産業や人口の受皿づくりに追われてきたが、社会経済環境が成熟し、人口ピークも超える中で、産業や文化などの活動、社会課題の解決に向けた活動が連携できるよう、都市を活動の場として再生することが重要となっている。そのためには、規制改革、民間の創意工夫を活かす質の高い都市、近未来技術の実装、インバウンド観光等の新たな需要創出、NPO等との連携やクラウドファンディングなどの活用による地域課題の解決などに取組むことが重要となる。

(3) エコシステム

地域経済を生態系にたとえ、ある地域において、企業、金融機関、地方自治体、国などの各主体が、それぞれの役割を果たしつつ、相互補完関係を構築するとともに、地域外の経済主体等とも密接な関係を持ちながら、多面的多層的に連携・共創してゆくことにより、地域経済の好循環を作り出し、持続可能な地域経済とすることが重要である。また、産業領域や社会課題領域において、イノベーションやスタートアップを支える仕組みとしてのエコシステムの重要性も問題提起されている。

4　尼崎の特性整理

尼崎は、これまで、日本経済の発展に不可欠な電力供給基地や重厚長大型産業を集積させることで発展してきた。それに応えるべく、幹線道路や港湾などの交通施設、住宅や学校などの社会資本を整備し、産業活動に効率的な街、いわゆる産業都市を築き上げた。この過程で、人口が大量に流入し、ブルーカラーのための狭小な木造住宅の密集地も出来上がった。

しかし、大規模な事業所の効率化を求めた地方移転や海外展開などの結果、ラストベルト化が進み、中小企業も、交通利便性が高いことから住宅建設が工業系地域で進み、住工混在により操業環境への影響が出た。また、十分なインフラ整備がないまま建築された木造住宅の密集市街地では、空き家や建物老朽化が大きな都市整備上の課題となっている。このように、成長期の主役であった、製造事業所や住宅地が都市更新についていけない状況が顕在化している。

このような中にあっても、近年は、大阪市に隣接することから、産業面でも住宅面でも、コンパクトな移動利便性の高い街としての評価を得ている。

産業面では、大阪などの業務中枢機能との近接性や通勤環境から、ICTサービスセンターや研究所・研究開発施設への転換、ものづくりとサービスが融合した事業所の進出などがみられる。臨海部などの工場跡地には、物流交通の利便性が高いこと、消費地にラストワンマイルの近接性、従業員確保の容易さなどから、大規模なロジスティック施設の立地が加速している。

住宅面では、新たな開発余地が少ないことから、交通利便性の良い工場跡地、市営住宅や学校施設など公共施設の集約跡地などでは住宅建設が進むが、木造密集市街地については、制度が充実し、大阪からの利便性が高いにもかかわらず、権利関係の複雑さや所有者の活用意識の低さなどから、住宅更新は停滞し放置された地域となっている。

このような状況の中で、尼崎の強みは、これまで積上げてきた資産と立地優位性である。

積上げた資産では、土地利用の明確化があり、全域が都市計画区域でDID地域であること、工業・商業・住宅という機能が都市内で連携した職住近接であること、区画整理等によりインフラが高水準で整備されていることである。都心機能では、業務、商業、文化などの都市機能が集積する阪神尼崎、新たな集積が始まりつつあるJR尼崎、ものづくり機能では、工業系土地利用の存在がラボなど付加価値の高い施設立地を可能としていること、中小企業は、独自のサプライチェーン、グローバルニッチなど特徴を持ち、ものづくり支援センターやポリテクセンターなど技術や技能を支える施設、多様な支援機関の存在などがある。

立地の優位性では、業務集積地である大阪に隣接し、梅田や難波の都心に公共交通で10分から15分の距離にあること、人口集積地である阪神間のほぼ中央に位置し、後背人口は従業員確保やサービス提供先として優位にあること、また、関西３空港、大阪港・神戸港・尼崎港、名神や阪神高速などの高速道路網、新幹線新大阪駅や大阪神戸につながる13の鉄道駅などがあり、交通アクセスの利便性は非常に高い。

5　地域経済循環を目指すために、何をするのか

都市には、市民生活や事業活動を維持し発展させる力が本来的には備わっており、それをうまく導き出し、地域経済を発展させ、好循環を生み出すイノベーションに応えることが求められている。

経済成長の原動力がモノからコトへと変わりつつある中で、IT分野など、いわゆる無形資産を作り出す企業の経済価値が、有形資産を作る企業の価値を超えて久しい。製造業からサービス業に、製造業もサービスという付加価値創造にシフトしている。このことを踏まえると、今後の政策投資は、都市全体を

対象としたマクロレベルでも、特定の企業や企業群、小地域を対象としたミクロレベルでも、社会関係資本の形成や人材資本への投資にシフトし、持続可能なエコシステムを作り出すことを目的にする必要がある。

そのために、自治体の果たすべき役割は、①人材育成（人的資本）、②共創関係づくり（社会関係資本）、③制度・政策支援（資金、規制緩和）である。

地域の稼ぐ力を高めるためには、労働生産性を上げること、地域外からの所得の流入を促すこと、競争力の高い産業や観光を振興すること、地域内での調達や産業クラスター形成を進めること、地域の中核企業の生産性を上げること、設備投資の拡大により労働生産性を上げること、そして学び直しの機会提供などジョブ型人材を育成し、人の生産性を上げることが重要となる。なお、投資主体は、行政のみではなく、民間がより大きな主体であることから、規制緩和や誘導などPPPが重要となる。行政は、土地利用や環境面において法的な規制権限を有することを積極的に活かし、より良い街づくりを目指し、現実の課題に直面する市民、最先端の知見や技術を持つ民間とも協働・共創していくことが、限られた財源の有効な使い方である。

これからの街づくりは、ハードからソフトではなく、ハードもソフトも双方の効果を発揮させることが必要で、いくつかのキーワード、視点がある。オープンイノベーション、ダイバーシティ、人材の育成、オープンデータ、交流や情報など共創の居場所、選ばれる街である。

「オープンイノベーション」とは、改革や刷新するイノベーションを達成するために、自他を問わず柔軟に、ヒト・モノ・カネなどの経営資源を活用し、市場機会の増加を目指すことであり、自らだけでは達成困難な事業を、企業や組織の枠に捉われず外部資源を活かし、目標の達成と市場の拡大を目指すことである。

「ダイバーシティ」とは、多様性であり、性別、年齢、人種や国籍、障がいの有無、性的指向、宗教・信条、価値観などだけでなく、キャリアや経験、働き方なども含み、多様な人材それぞれの持つ潜在的な能力や特性などが、イノベーションを生み出し、あらたな価値創造につなげていくことである。

「人材の育成」とは、デジタル化や脱炭素化など成長分野への遅れ、人口減少に伴う労働力不足、社会的課題への多様なアプローチに直面するなかで、創造性を発揮して付加価値を生み出す原動力である人を資本と捉え、学び直しの機会を整備するとともに、活躍の場を提供し、次なる成長の機会を生み出すことである。

「オープンデータ」は、広範な主体が活用することで、様々な課題の解決、経済活性化が期待されている。創意工夫された公共サービスの提供とともに、厳しい財政状況や急速な少子高齢化で直面する課題解決への貢献が期待される。また、ベンチャー企業等による多様な新サービスやビジネスの創出、企業活動の効率化等が促され、経済活性化にもつながる。

「交流や情報など共創の居場所、プラットホーム」とは、人が、新たな価値を創造するための場やネットワークである。イノベーションは、外部の資源を活用することが重要であり、自らの領域を発展させるためにも、新たな領域を創造するためにも、情報が取れる出会いの場、関係づくり、協力の枠組み作りの場が必要となる。

「選ばれる街」とは、住生活の質に加え、事業の付加価値化や新たな価値創造に向けて必要な、人、知恵、資金、課題解決への支援の仕組みなどが備わっている街である。また、取り組むべき課題が公開され明確に示されていること、小さな改善を積み上げることができる街であることも重要であり、イノベーターに選ばれる街をハード・ソフトの両面から創る必要がある。

6　都市再生・地域経済再生の方向性

尼崎市は独立した都市圏を構成していないこと、大阪圏を中心とした連坦した都市圏の中で発展してきたこと、その中で社会資本を築き上げてきたこと、職住近接のミックスユースな土地利用と十分な公共交通サービス網を持つことを踏まえた上で、民間の活力や創意工夫を街づくりに取り込み、行ってみたい街、人が集まり活動できる街、稼げる街、そして住生活の質の高い街として、持続可能な都市として再生することを目標とする。

基本的に、都市再生は都市計画マスタープランと住生活マスタープランで示す方向、地域経済の再生は産業振興基本条例で示す方向で、社会経済環境の変化を捉えながら、政策を進めていくことになるが、先ほど述べたオープンイノベーション、ダイバーシティ、人材の育成、オープンデータ、交流や情報など共創の居場所、選ばれる街といった視点を溶け込ませることが重要となる。

継続的な都市再生のためには、産業の稼ぐ力が重要となるので、先ず、地域経済の方向性について述べる。

主要産業の製造業については、既存技術の発展進化とともに、先端分野やグローバルニッチな分野が操業継続できる環境を維持する。一方、事業所が廃止され、住宅用地やロジスティック施設へと転換していることを踏まえ、内陸部においては周辺環境との調和や共生を目指す都市型の産業や研究所等に、臨海部の工業専用地域においては、今求められる循環経済サーキュラエコノミーの場、エネルギーの地産地消の場となるような共創関係を築くことが重要である。

今後成長する製造業と連動したサービス業、知識集約型のサービス業については、尼崎が投資先や起業の場として、魅力的であるかが問われる。尼崎市は、既に、一日18万人の流入流出人口を持っているが、さらに、交流人口や関係人口を誘引できる街に変えていくため、駅前を中心に魅力化を図る。また、労働集約型のサービス業の生産性を高めるため、商店街と宿泊機能や観光機能を組合わせる消費により売上増を図るなどの工夫が必要となる。

次に、都市整備の考え方であるが、尼崎市は、再投資の時期に至っており、都市が持続可能となるには、市民、企業、NPOなどが活動しやすい環境を用意する必要があり、現在改定中の都市計画マスタープランでは、街を活用し、つなぐことを方向として示し、生活利便性の高いコンパクトな街、稼げる街にも取組むこととしている。

持続可能な街を目指すため、「つなぐ」、「育てる」、「活かす」を基本的な考えとして、図２のプロジェクトを動かし、地域経済循環のみならず社会課題の解決においても、ビジネスの成立する稼げる街を戦略的に目指す必要がある。

「つなぐ」では、大阪や神戸、西宮等の都市機能と、市内の特徴ある各地区を、地域内をつなぐ、加えて、人と街を、人と産業を、人と人をつなぐなど、都市の再生、イノベーションのためには、多様なつなぐ形態や主体に応える必要がある。そのためには、ハード・ソフトの交流の場を作ることが必要であり、駅前を交流拠点とする取り組みを進め、民間の活力や創意工夫、投資を呼び込む関係づくり、起業家の活動支援拠点となるコワーキングスペースを質と量の両面から充実させる。また、街の生産性を高めるため、特に女性活躍を意識した人材育成に努める。臨海部では、事業者を結びつけるイノベーションの場としてリサーチコアの再構築を、また、分譲開始されるフェニックス事業地を近未来技術の社会実験や社会実装のフィールドとしてイノベーションに資するものとなるように兵庫県などとの協議を進める。

「育てる」では、地域の特徴を活かすエリアブランディングを進める、そして、個人や企業の投資を呼び込み、住まいや事業活動の環境を育てる。例えば、ゲストハウスやスタートアップ施設を空き家や空き店舗、商店街などと結びつけ、その資産価値・生産性を上げる。マルシェや地域イベントを積極的に支援し、新たな事業者となるためのステップとする。そのためには、活動を支える人材が必要であり、人材育成拠点や支援制度の充実に努める。尼崎市役所では既にパラレルキャリアとして、街づくりに主体的にかかわる職員の副業を認めており、この活動をさらに民間にも広げ、副業人材がコミュニティデザイナーとして活躍できるよう、キャリア形成の支援、資金提供の仕組み、地域金融機関などとの連携をさらに進める。

「活かす」では、街の再生のタネ地として公共用地や民間用地を活かし、地域の担い手や民間事業者、鉄道事業者などのアイデアを活かすPPPを推進し、駅や駅前広場、公園、文化施設、創業拠点、生涯学習プラザなどを人の交流や起業の居場所という観点で手を加える。また、既存の社会資本である港、幹線道路、鉄道を活かし、MaaSやシェアリングの超小型モビリティの活用などで地域消費と結び、新しい価値を創造することで、移動円滑化と地域活性化を進める。

都市の再生に向けては、ヒト、モノ、カネ、コミュニケーションが重要であり、イノベーションやコミュニケーションなど様々な活動やその主体を受け入れ、支え、つなぐ場づくり、資金提供の仕組み作りが重要と考えており、今後、この基本的な考え方を深化させるため、具体的な議論を進める予定である。

このような方向性の中で３つのプロジェクトを紹介したい。これまでに整備した社会資本の再生を、民間活力を導入し、周辺エリアの活性化と魅力化につなげるものであり、それぞれ事業手法を工夫し進めている。これらは、駅を戦略的施設として再整備する上での先行プロジェクトでもある。

（１）阪神尼崎駅周辺エリアマネジメント

阪神尼崎駅周辺は、市内最大の商業業務集積地であるとともに、文化施設、尼崎城や寺町など観光施設も集中する地域であるが、中心市街地としての活性化、都市再生が課題であった。既に、駅前には、バスターミナルや自動車・自転車駐車場、駅前の中央公園、人工地盤上の広場などの施設は整備されていたが、交流拠点としての十分な活用はできていなかった。そのため、阪神電鉄グループを事業者として、尼崎城や遊歩道なども含めた駅周辺の公共施設の指定管理と管理委託の一括管理により、都市魅力の向上、交流の場の創出による交流人口の増と周辺も含めた民間投資を促すことを目的としている。また、維持管理の効率化や広告収入などによるエリア内再投資の仕組みも用意し、ハード・ソフトの両面から質的向上を持続的なものにするエコシステムを構築する。

（２）阪神大物駅パークマネジメント

阪神大物駅周辺は、小田南公園、大物公園、大物川緑地などの大規模な公園施設が集まっているが、木造密集地域と住工混在地域など既成市街地の活性化が課題になっているため、公園を活かした街の再生を進める。具体的には、小田南公園に阪神タイガース球団のファーム施設を負担付寄付制度により40年間の使用権を認める代わりに市民球場など公園施設のリニューアルを図り、交流人口の増による活性化を図る。併せて、国の脱炭素先行地域であるゼロカーボンベースボールパークとして、エネルギーの地産地消を達成し、環境、健康、防災を切り口に街づくりを進める。

（3）阪急武庫川新駅

これまで、住環境に恵まれ人口増であった阪急武庫之荘駅を中心とする武庫地域においても、人口の減少傾向が見られだしている。そのため、阪急電鉄、西宮市と協力し、兵庫県が管理する２級河川武庫川の鉄道橋梁部分に駅を新設し、鉄道利便性を高め、優良住宅の誘導により、河川空間も活かした歩ける街づくりを進める。また、駅端末手段である自転車利用の分散により、隣接する阪急武庫之荘駅の混雑改善、魅力化に資することを狙うものでもある。

図２

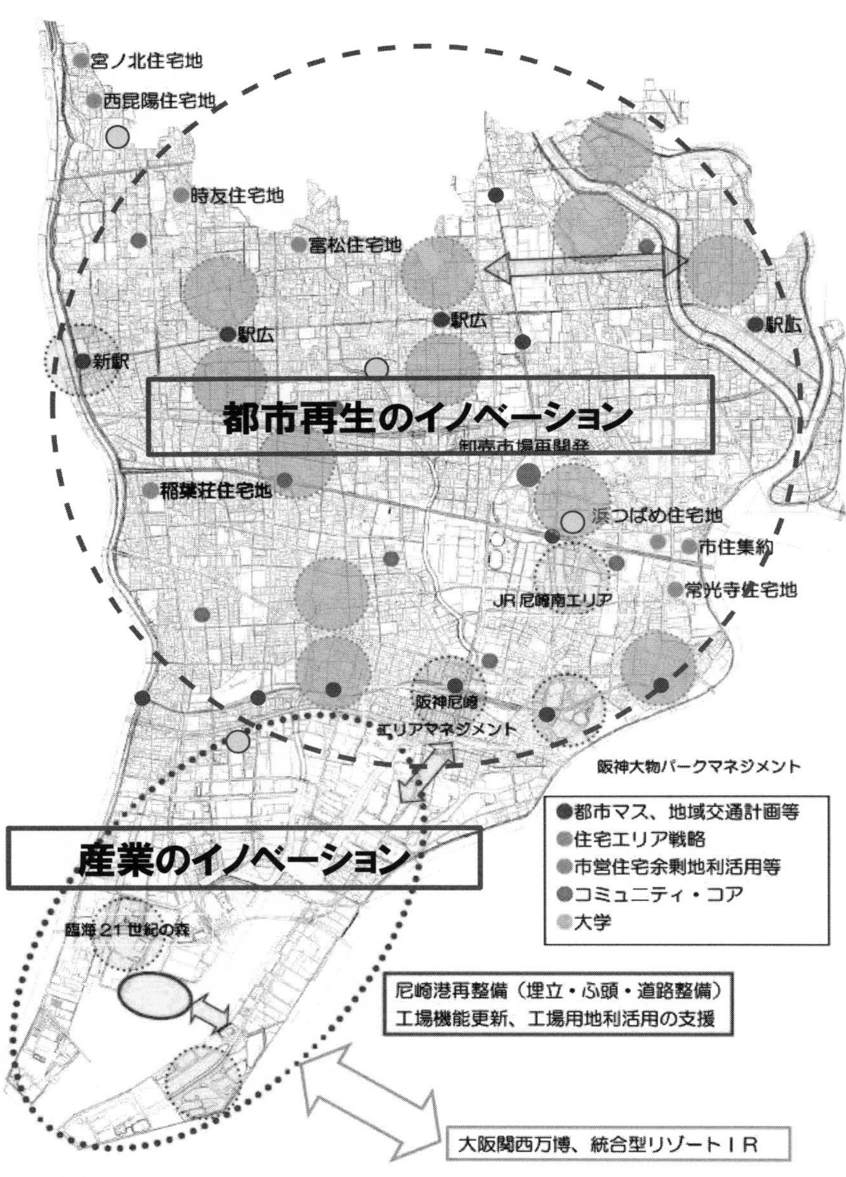
宮ノ北住宅地
西昆陽住宅地
時友住宅地
富松住宅地
駅広
駅広
駅広
新駅
都市再生のイノベーション
卸売市場再開発
稲葉荘住宅地
浜つばめ住宅地
市住集約
JR尼崎南エリア
常光寺住宅地
阪神尼崎
エリアマネジメント
阪神大物パークマネジメント
●都市マス、地域交通計画等
●住宅エリア戦略
●市営住宅余剰地利活用等
●コミュニティ・コア
●大学
産業のイノベーション
臨海２１世紀の森
尼崎港再整備（埋立・ふ頭・道路整備）
工場機能更新、工場用地利活用の支援
大阪関西万博、統合型リゾートＩＲ

出所：筆者作成

7　まとめ

尼崎市の都市と地域経済の再生においては、地域経済循環や地域課題解決のエコシステムを作ることを約束したうえで、ハード・ソフト両面からのアプローチを基本に、ヒト・モノ・カネ・コミュニケーションのプラットホームを用意し、イノベーションの場とすることが必要である。

そのためにも、以上述べてきた思想を都市計画に取り入れ、街の資源を活かし、育て、つなぐ街づくりを進め、事業環境、住環境、活動環境を魅力的にすることにより、地域経済循環を目指すことが重要となる。また、行政や民間の投資が、企業の発達に繋がり、従業員や関連企業に分配されること、個人の知恵や思いが、社会的経済的課題の解決につながる環境を創ることによって、政策コストを経済的、効率的、有効的に使う持続可能な行財政が確立される。

[参考資料]
尼崎市総合基本計画　https://www.city.amagasaki.hyogo.jp/shisei/si_kangae/si_keikaku/1023312/1031233/index.html
尼崎市総合戦略　https://www.city.amagasaki.hyogo.jp/shisei/si_kangae/si_keikaku/1009056/index.html
尼崎市都市計画マスタープラン、尼崎市立地適正化計画　https://www.city.amagasaki.hyogo.jp/shisei/si_kangae/si_keikaku/1032197/index.html
尼崎市住まいと暮らしのための計画（住宅マスタープラン）https://www.city.amagasaki.hyogo.jp/shisei/si_kangae/si_keikaku/094_jutakuseisaku.html

特集論文〈I〉

企業とイノベーション

I 「価値共創」が紡ぐ現代のオープンイノベーションの潮流

津田 哲史
前近畿経済産業局地域経済部 イノベーション推進室 総括係長
近畿経済産業局地域経済部 地域連携推進課 総括係長

1 イノベーションの変遷

デジタル化の進展等による国内外における急激な情勢変化や、新型コロナウイルス感染症の世界的な蔓延によりウィズコロナ／ポストコロナ時代に求められる構造転換への対応、我が国が目指す社会（Society5.0）の実現に向け、大手企業を始めとしてオープンイノベーションに取り組む企業は増加し定着しつつある。

イノベーションの歴史的展開を振り返ってみると、マクロでの社会環境の変化は、イノベーションの在り方にも大きく影響を及ぼしている。20世紀は供給力よりも需要が上回る時代であり、より高機能、高品質なものを求めて供給力を高めてきた時代であったが、21世紀は供給力が需要を上回る時代であり、市場や消費者が自らの価値でモノを選ぶ時代となっている。

これらの変化をより詳細にみていくと、20世紀前半（1900年～1949年）は、ヨーロッパとアメリカが中心の経済で、モノを作れば売れる時代であり、新技術や新商品の開発など、企業がイノベーションを主導する時代である。20世紀後半（1950年～1999年）は、冷戦中の分断と冷戦後の経済連携が加速すると同時に、世界的な貿易ルールの確立により、世界へ製品・サービスを展開することが可能となった。生活様式が大量生産・大量消費に変化し、社会全体や、社会の中で多数を占める層に訴求する製品・サービスを提供することがイノベーションにつながった。また、モノづくりだけでなく、サービス業のイノベーションも進展していった。

「オープンイノベーション」という「手段」が注目されるようになったのは、1990年代からである。IT技術の進歩やグローバル化の進展により、すべてを自社で準備する「自前主義」には限界があることから、外部リソースも活用したオープンイノベーションの重要性が叫ばれるようになった。ただし、この時期のオープンイノベーションは、研究開発領域など、ごく限られた領域であり、連携の形態も大企業同士などに留まるものであった。

21世紀に入ると、需給バランスの世界的逆転が起こり、モノを作れば売れる時代ではなくなった。供給側が市場や消費者に共感され、選ばれるための「価値」を提供するために、新天地を開拓していくことが求められる時代になっている。時代が変化する中で、新興国の経済活動の活性化やスタートアップの台頭といった新たな経済主体の出現や、持続可能な開発を重視するSDGs等をはじめとする社会課題解決への機運の高まりが顕著となっている。技術的進歩も目覚ましく、インターネット・デジタル化の進展によるマーケティング手法も多様化し大きく進展した。こうした21世紀の環境変化の中で、「イノベーション・エコシステム」や「価値共創」といったキーワードも注目されるようになった。

表1　イノベーションの変遷

	1900年-1949年	1950年-1999年	2000年-2019年
政治	• 軍事技術転用によるイノベーション • 戦争による閉鎖的な環境の醸成	• 冷戦中の分断と冷戦後の経済連携の加速 • 世界的な貿易ルールの確立、世界へ製品・サービスを伝播可能に	• 二国間でのFTAの進展 • データ規制の進展 • 社会課題解決への機運の高まり
経済	• ヨーロッパとアメリカが中心の経済	• 先進国間での投資の実施 • 国際的分業体制の確立	• スタートアップの台頭 • 新興国の投資活動への参加 • 新興国の経済活動の活性化
社会	• 作れば売れる時代 • 企業主体のイノベーションの増加	• マスマーケティングのイノベーション • サービス業のイノベーションの発達	• ニーズの多様化 • リバースイノベーションの登場 • シェアリングエコノミーの発展
技術	• 電気エネルギーを活用した工業生産や輸送実現 • 基礎科学の知見に根差した研究開発手法の登場	• 基礎科学の確立を礎にした研究開発の促進 • コンピューター・ITによる生産・物流の自動化	• インターネット・デジタル化の進展 • 1to1のニーズに即した生産・物流・マーケティング • 外部リソースを活用したR&D手法の普及

「イノベーション・エコシステム」、「価値共創」といったキーワードの登場

出所：オープンイノベーション協議会、新エネルギー・産業技術総合開発機構『オープンイノベーション白書（第三版）』をもとに筆者作成。

図１　20世紀と21世紀における需給バランス比較

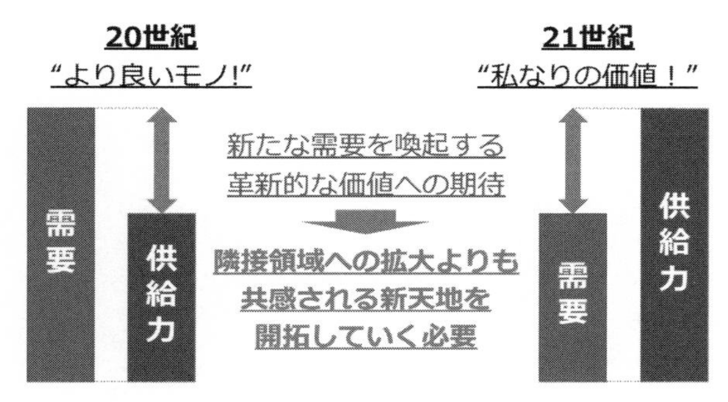

出所：内閣府「ワタシから始めるオープンイノベーション」

2　「価値共創」とは

現状においては、そもそも価値共創とは何かという明確な定義があるわけではない。そこで、経済産業省近畿経済産業局では、2021年度に「企業による価値共創事業の実態調査（以下、「価値共創調査」とする。）を実施し、「ワタシから始めるオープンイノベーション（内閣府価値共創タスクフォース）」の内容をふまえて、価値共創とは何かという議論を行い、委員の知見や経験を共有し、価値共創を実現したと考えられる事例を検証することで価値共創を定義した。その定義は以下のとおりである。

【価値共創の定義】

社会に変化をもたらす新しい価値を共に生み出す活動。そのために、画一的でない価値観を有する多様なステークホルダーと、共有された大きな目的のもと、創造的対話を継続的に実施する。各々が貢献（提供）できる資源を持ち寄り、組み合わせることで、実験・実装を行い、地域社会の共感を呼んでいくもの。

「価値共創」という概念はオープンイノベーションの一種という位置付けだが、他の類似する事柄や概念（ビジネスマッチング・異業種交流会・オープンイノベーション1.0）とそれらの目的や効果をパラメーターとして比較を行うと、価値共創の特徴がより鮮明となる。価値共創の特徴は、自身の従来までの領域にとらわれず、ステークホルダーと目的を共有する点や、地域のコミュニティとのつながりと地域社会発展への貢献という「地域への視点」などが存在することだと言える。

図２　価値共創との比較（ポジショニング）

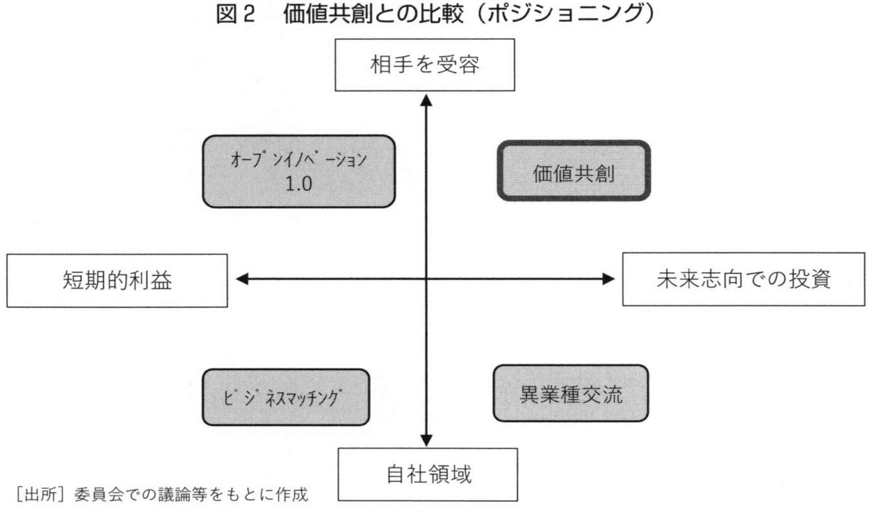

出所：近畿経済産業局「令和３年度企業による価値共創事業の実態調査報告書」

表２　価値共創との比較（パラメーター）

	パラメーター	ビジネスマッチング	異業種交流会	オープンイノベーション1.0	価値共創
主体の意識	主体性・マインドセット	○	○	○	○
	多対多の関係性	×	△	×	○
	相手との目的の共有	△	×	○	○
	前提にとらわれない	△	○	△	○
	自身の境界を超える	×	△	△	○
成果指標	成果目標やKPIが緩やか	△	○	×	○
	未来志向での投資	×	△	×	○
地域への視点	**地域社会との接点・貢献**	×	×	×	○

［出所］委員会での議論等をもとに作成

出所：近畿経済産業局「令和３年度企業による価値共創事業の実態調査報告書」

3 「価値共創」に必要な要素・ポイント

価値共創調査では、価値共創に必要な要素として以下の３点が存在し、この３つの要素の中には７つのポイントがあることを明らかにしている。

（１）主体（価値共創に取り組もうとする企業や団体）

①主体性・マインドセット
・自社の強みや弱みを把握し、他力本願ではなく、想いをもち自分事として主体的にプロジェクトに参加する（＝他者からの要請やトップダウン等といった従来のプロジェクトへの関わり方からマインドセットを変える）。
②自身の領域から踏み出す
・「前提（レギュレーション）」にはとらわれない。
・業界や商慣習にとらわれず、自社や自身の領域（バウンダリー）から飛び出す。

（２）つなぎ手（価値共創に必要なつなぎ手・空間）

③異質なものが集まる場や空間を創出
・想像もつかないような主体同士を引き合わせるつなぎ手の存在が必要。
・異質な主体が集まる場や空間（共創空間）が必要。
④多対多の関係性を促す
・つなぎ手が多様な主体（企業や行政、NPO、市民など）を巻き込み、多対多の関係性を意識的に作り出すことが重要となる。主体の側からみると、自社単独ではなく複数の主体が存在する場所に身を置いて、多対多の関係性の中で創造的対話を行うことが重要となる。
⑤目的の共有を行う
・共創空間において、多様な主体が共通の目的を持つことができるように、共

創空間の機能としてつなぎ手が上手くコーディネートすることが求められる。

（3）地域（価値を実験・実装する領域）

⑥地域や生活者への貢献

・価値共創で生まれた事業やアイデアが、自社だけでなく、地域や生活者にどう影響し、どんな意義があるかという視点を持つことが重要である。たとえ中長期的にでも、地域の発展につなげる視点が必要である。

⑦地域での実験や実装

・価値共創から生まれた事業やアイデアの地域社会での実験が大事である。

・トライアルを経て最終的に地域社会での実装を目指すことが重要である。

上記のとおり、価値共創に必要な要素とポイントがあることを述べてきたが、それぞれがどのように作用して実際の価値共創が進んでいくのか、というプロセスも重要となる。その起点となるのは価値共創に取り組む企業や団体という「主体」の部分であり、まずは主体が価値共創の特徴や特性を理解したうえでこれに取り組むことが重要となる。そのプロセスを可視化したのが以下の図3である。

図3　価値共創の3つのプロセス

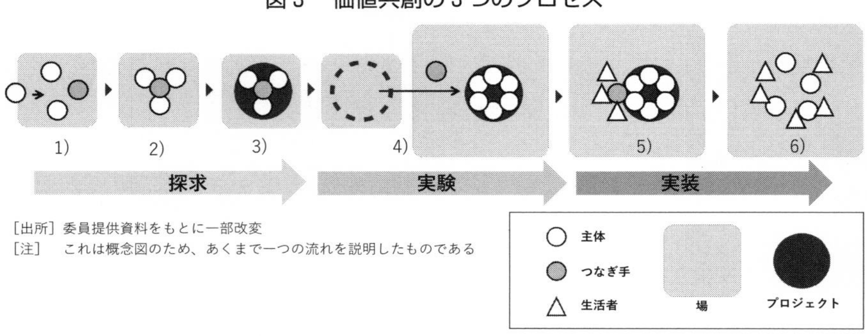

出所：近畿経済産業局「令和3年度企業による価値共創事業の実態調査報告書」

【探求】
①主体が共創空間などの場に参加する
②つなぎ手による支援を受けながら、関係をつくり課題を探求する
③ステークホルダーと目的を共有し、プロジェクトを形成する

【実験】
④ステークホルダーを増やしていき、小さく実験できる場で実行していく

【実装】
⑤実験を重ね、地域の生活や社会への実装を行う
⑥課題解決に向けて、つなぎ手やプロジェクトの枠がなくても自律し、地域に根付く

また、こうした「探求」、「実験」、「実装」という３つのプロセスが循環しながら有機的につながることで価値共創につながっていくことを示している。

4 「価値共創」を実演する一例としての「地域一体型オープンファクトリー」

「オープンファクトリー」とは、ものづくり企業が生産現場を外部に公開したり、来場者にものづくりを体験してもらう取組であり、従来から工場見学やツアーといった形態で実施されてきた取組である。近年では、ものづくりに関わる中小企業や工芸品産地など、一定の産業集積がみられる地域を中心に、企業単独ではなく、地域内の企業等が面として集まり、地域を一体的に見せていく「地域一体型オープンファクトリー」という取組へと進展をみせている。

関西においても、中小企業が主役となる地域一体型オープンファクトリーが各地で誕生している。また、これらの地域一体型オープンファクトリーに取り組む中で、様々なイノベーションが生まれ、それを創出する鍵となるキーパーソンも出現している。今回は、その中でも近年広がりと躍進を見せる「FactorISM」について考察する。

図４　関西における地域一体型オープインファクトリー

関西に広がる地域一体型オープンファクトリーMAP

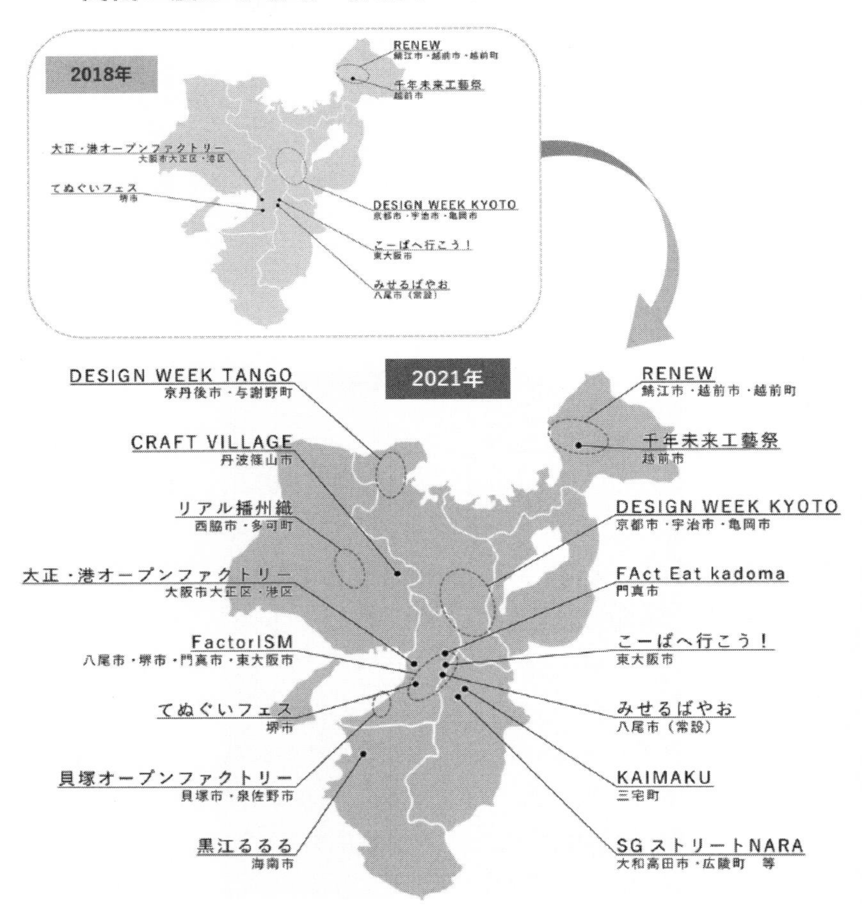

出所：近畿経済産業局ホームページ

「FactorISM（ファクトリズム）」は、大阪府八尾市を中心とした、町工場でのものづくりの現場を体験・体感してもらうイベントである。FactorISM（ファクトリズム）は、Factory＝こうば、ISM＝主義・主張、Tourism＝観光を組み合わせた造語であり、会期中は一般の方向けの工場見学やワークショップを開催し、「職人が何を考え、どんな想いでものづくりに励むのかを知り、ものづくりに価値を見出す。」ことを目指す。合言葉は「こうばはまちのエンターテインメント」。

新型コロナウイルス感染症の影響で、厳しい社会情勢の中、「モノタメ[(1)]を止めるな！」という声明のもと、2020年にスタートしたFactorISMは、オンラインとリアルを融合したハイブリッド開催を実現。まさにニューノーマルの時代への挑戦であった。

2021年は、Withコロナの時代において、地域を超えた新たな出会い、ものづくり企業同士の結束、コラボレーションなど新たな繋がりによる「刺激」をテーマに、さらなる挑戦を続け、43社が結束した。

そして2022年のテーマは「触発」。刺激から触発を受け、新たな躍動に繋げており、参加企業も60社とムーブメントは加速している。

FactorISMは単なるイベントではなく、コミュニティである。FactorISMを通じて、地域、大学、大企業、メディアと中小企業との「意味のイノベーション」を小さく生み出し、大きく育てることを目指している。参加している企業からも、「普段他の企業の方と知り合う機会がなく、FactorISMを通じて、知り合った他社の工場や現場も見学できた」、「スタッフが試行錯誤して取り組んだこともあり、成長につながった」といった声や、「イベントをきっかけに、他のおもしろい企業を知るきっかけとなった。コラボ企画にも挑戦したい」と開催回数を重ねるごとにモチベーションを高めている。

また、参加企業同士においての交流から繋がるイノベーションに留まらず、外部交流のきっかけにも繋がっており、様々なコラボイベントに繋がっているなど、自らのコミュニティ内でのイノベーションだけで無く、その醸し出される魅力・ワクワクに集まる外部リソースとの共創が続いている。（図５、６）

図5

出所：FactorISM 実行委員会提供資料

図6

出所：FactorISM 実行委員会提供資料

この連鎖するイノベーションの中枢には、能動的に活動する「人」の存在が重要なポイントとなっている。これを近畿経済産業局のオープンファクトリーに関する調査[2]（以下、「オープンファクトリー調査」とする）では「ゲート・キーパー」として示唆している。

各地の「ゲート・キーパー」たちは、地域一体型オープンファクトリーの活動自体を目的としているのではなく、その先の「未来」、将来のものづくり企業や地域産業の持続的な発展や地域課題の解決を目指して取り組んでいる。観光・ツーリズム、教育、地域企業の人材育成といった他の活動とも組合わさりながら、地域一体型オープンファクトリーは、「未知なる領域への挑戦」のフェーズへと進化を遂げている段階にあるとも言えよう。

例えば、新型コロナウイルス感染症の拡大に伴い、開催方法を工夫する中で、オンラインシステムを活用する手法を取り込むきっかけを作ったり、企業間での連絡手法を従来のメールやFAXから、クラウドサービスを活用したアプリケーションを使うきっかけを作っている。このような参画企業だけでは思いつかない「未知の領域」に触れるきっかけをそれとなくセットすることが出来る「ゲート・キーパー」達の存在は大きい。

すなわち、「未知の領域」を開くためには、地域一体型オープンファクトリーの活動体内部の多様性を高め、維持し、異なる背景・価値観・職能の交わりを生む「ゲート・キーパー」の役割発揮が重要であると考えられる。

また、地域一体型オープンファクトリーにおいては、個社の利益よりも、地域活性、地域産業振興という地域全体の利益を生むことを行動原理に基づいた行動がもたらす信頼がある一方で、価値観の違いが不協和音を生み出しかねない危惧も抱えている。そうしたギャップを埋めるのも、「ゲート・キーパー」の役割であり、外へのゲートだけでなく、内の異なる価値観の扉を開く役割も担っているのである。

また加えて重要なのは中核となるゲートキーパーだけでなく、「CO-LEADER（コ・リーダー）」など自発的な行動を行う実行委員会等の運営組織が存在することである。地域一体型オープンファクトリーの立ち上げや継続的な実施においては、その中核を担う人材と同じ程度の想いを持ち、伴走するコ・リーダーの存在が重要となる。地域一体型オープンファクトリーの立ち上げ当初は、発起人等の中核人材の役割が大きいが、継続的に実施する中で参加企業の意識が変化することで、より積極的に運営に関与し、活動上でも中心的な役割を果たすようになるというプロセスがみられた。実施規模を拡大しながら継続していくためには、中核人材とコ・リーダーの連携だけでなく、コ・

リーダーの量的拡大や質的向上も重要な要素となる。これらをFactorISMを事例として掲げると以下の図7のとおり。

図7　FactorISMを牽引し、支え、躍動させる「人々」
※以下、図においては、「ゲートキーパー」＝「仕掛け人」として表記

Trend Setter
仕掛け人

松尾 泰貴 氏
株式会社友安製作所 ソーシャルデザイン部担当 執行役員
FactorISM 統括プロデューサー

元八尾市職員。「みせるばやお」の立ち上げに尽力。ものづくりのまちである八尾を広く知ってもらおうと、子どもたちにものづくりの楽しさを伝えるワークショップや、企業間の交流を促進するためのイベントなどを実施している。地方公務員アワード2019を受賞。

●連絡先
FactorISM 実行委員会
〒581-0803 大阪府八尾市光町2-60 リノアス8F
TEL:072-920-7128（株式会社みせるばやお）
E-mail：machi@miseruba-yao.jp

CO-LEADERs
※仕掛け人と一緒にオープンファクトリーの企画・運営を担う中核的存在

FactorISM実行委員会事務局（まちのこうほうぶ）

所属も業種も異なるメンバーが、「まちこうばをエンターテイメントに変える！」を合言葉に、普段、私たちの生活を支え、暮らしを豊かにしてくれている日本のものづくりの素晴らしさ、面白さをもっとたくさんの人たちに知ってもらい、後世にバトンを継いでいきたいとの想いを一つに活動している。

実行委員長
太田 泰造 氏
錦城護謨株式会社

副実行委員長
友安 啓則 氏
株式会社友安製作所

堺支部長
福田 康一 氏
株式会社河辺商会

門真支部長
一瀬 勇樹 氏
株式会社一瀬製作所

八尾支部長
梶原 弘隆 氏
株式会社オーツー

Basement　取り組みを支える屋台骨

事務局長
山田 紘也 氏
株式会社ビーダッシュ
代表取締役社長

WEBディレクター
野村 範仁 氏
株式会社ジョイントメディア
企画・ディレクター/営業

広報担当
寺田 昌樹 氏
株式会社電通関西支社
プロデューサー

出所：経済産業省近畿経済産業局「KANSAI OPENFACTORY REPORT rec2022.」

5 「価値共創」において必要な要素の「重み付け」

・あらためて総論としての「価値共創」に話を戻すが、価値共創に必要な３つの要素のうち、最も重みがあるのが「つなぎ手」であると価値共創調査においては注目している。

・上述の地域一体型オープンファクトリーにおける「ゲート・キーパー」もこの「つなぎ手」に該当するものと考えられ、価値共創調査においては「つなぎ手自身の気質やマインドに関わるポイント」を以下のとおり整理している。

（1）目利き力

・共創空間に持ち込まれた相談内容をもとに、将来的に価値創出につながりそうか、またどういったパートナーとつなぎ合わせることで価値創出が実現できるかを目利きする力を持つ。

（2）豊富なネットワーク

・日々の活動を通じて、人と人をつなぐために必要なパートナーとのネットワークを豊富に有している。これは、それぞれの相談者の個性や関心事への理解や、多くの相談に関わった経験に基づくネットワークである。

（3）多対多の関係性を促す

・つなぎ手が多様な主体（企業や行政、NPO、市民など）を巻き込み、多対多の関係性を意識的に作り出す。主体の側からみると、自社単独ではなく複数の主体が存在する場所に身を置いて、多対多の関係性の中で創造的対話を繰り返すことで、多様な主体とネットワークを構築する。

（4）目的の共有を行う

・共創空間において、多様な主体が共通の目的を持つことができるように、議論の場を設けたり、議題の提示や雰囲気づくりを含め、一緒になって考える。

・価値共創は自社単独ではなく複数の人間で成果を生むため、成果を個社が独占するのではなく、関わった人たちが共有できるように丁寧にコミュニケーションする。

（5）価値を生み出す力

・相談者の企業など、一定数のステークホルダーに共創に取り組む意義を伝え、価値を生み出すための対話や試行錯誤をともにする。

こうした要件・要素を満たす「ゲート・キーパー」、「つなぎ手」の存在が、

表3　価値共創とオープンイノベーション（1.0）の違い

パラメーター	オープンイノベーション 1.0	価値共創
主体性・マインドセット	○	○
多対多の関係性	×	○
相手との目的の共有	○	○
創造的対話による価値の創出	×	○
社会的意義の共有	×	○
前提にとらわれない	△	○
自身の境界を超える	△	○
成果目標や KPI が緩やか	×	○
未来志向での投資	×	○
地域社会との接点・貢献	×	○

出所：委員会での議論等をもとに作成

価値共創から生まれるイノベーションを促進する原動力となっており、これまでの1対1で行うオープンイノベーション1.0からマインドを転換し、多対多を繋ぎ、偶発性と賢明さによって紡ぐ「価値共創」は、現在のオープンイノベーションのあり方の一つの潮流といえる。

6 2025大阪・関西万博を見据えた関西の「価値共創」

2025年には全世界から2,820万人が訪れると想定されている大阪・関西万博が開催される。普段なら日本を訪れない方々も「万博」を契機に訪れる可能性を鑑みれば、「万博」は大きなビジネスチャンスとしての可能性としても捉えることができる。

「価値共創」活動は、多対多でワクワクを原動力として、「探求」「実験」「実装」を繰り返しながら進められるものであり、その熟度が高まるほどに「発酵」し、「魅力が醸し出される」。そして、その「魅力」は「万博」を訪れる方々をも引きつけるものになると思料する。

事例として紹介したFactorISMにおいても、自らが楽しみ、躍動することで醸された魅力に様々な外部リソースが誘引されコラボレーションが生まれているように、普段なら訪れない方々が集まる「万博」をさらなる「価値共創」促進のチャンスとして活かすことで、関西経済活性化の大きな起爆剤となるものと期待したい。

※本稿は、近畿経済産業局『令和3年度企業による価値共創事業の実態調査』報告書を基に、4（「価値共創」を実演する一例としての「地域一体型オープンファクトリー」）を加えて再編したものであり、文中の図1～3及び表1～3は、本調査報告書から引用しております。

[注]

（1） モノタメ：ものづくりエンターテインメントの略で、FactorISMにおける造語。

（2） 令和3年度 関西の地域一体型オープンファクトリーを発展させるテクニカル・ビジット及びグッド・イミテーション実証調査報告書

Ⅱ 尼崎圏域におけるオープンイノベーションのあり方について
——AMPI（アンピ）の役割——

清水 英樹
一般財団法人 近畿高エネルギー加工技術研究所（AMPI）

1 はじめに

一般財団法人 近畿高エネルギー加工技術研究所（以下、AMPIと略記する）は、尼崎市の南部に1993年12月に設立された公設民営の研究所である。本稿では、オープンイノベーションの枠組みを活用して、近隣の企業様に成長していただくために、当研究所がどのような役割を果たせるかを考察して提案する。

本稿ではまず始めに尼崎市を中心とした地域の製造業に関する状況を確認し、当研究所の成立ちと業務についてご紹介する。さらに、中小企業の皆様にとってのオープンイノベーションの位置付けを整理した上で、当研究所が提唱するオープンイノベーションの枠組みを活用した研究開発によるビジネスモデルを提案する。

2 尼崎市における製造業の状況

尼崎市は、古くから「工都」と言われる産業集積地であり、製造業の企業（従業員数4名以上）が700社ほどあり、総売上高は1兆5,000億円近くにも上る日本有数の工業地帯である。本節では、尼崎市 経済環境局および公益財団法人 尼崎地域産業活性化機構が編集・発行した「令和3年度版　尼崎経済データブック」を基にして、尼崎市の製造業についておさらいしておきたい。

尼崎市内における製造業の事業所数（従業員4名以上事業所）の推移を図1に示す。さらに、製造業の従事者数の推移を図2に示す。これらを併せて見ると、事業所数は徐々に減っているものの、従事者数はほとんど変わっておらず、事業所の集約が進んで、１事業所当たりの従業者数が増加していることが分かる。

図１　製造業の事業所数の推移（従業員４名以上事業所）

H20 2008	H21 09	H22 10	H23 11	H24 12	H25 13	H26 14	H28 16	H29 17	H30 18	R01 19	R02 20
1,032	912	840	878	836	824	783	809	732	716	701	714

（年）

出所：経済産業省「工業統計」、総務省「経済センサス」

図２　尼崎市製造業の従業員数の推移（従業員４名以上事業所）［単位：人］

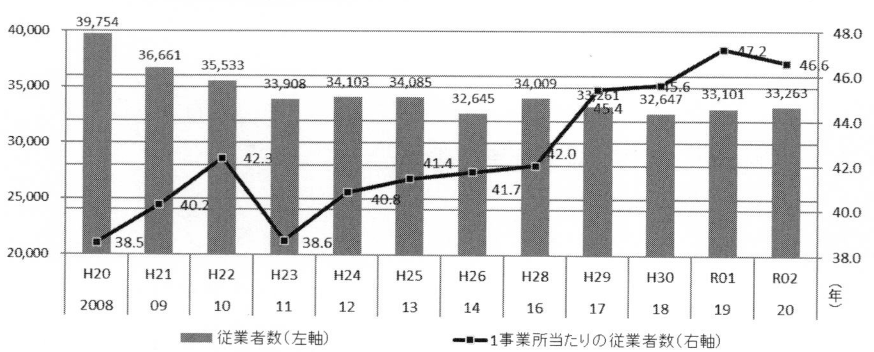

出所：経済産業省「工業統計」、総務省「経済センサス」

さらに、製造業の製造品出荷額等の推移を示したのが図３である。2009（平成21）年度にリーマンショックによる出荷額の落込みが見られるが、それ以降あまり大きな回復をすることなく推移し、ほとんど変わらない出荷額となっている。ただし、2020年度の姿を確認すると、出荷額は１兆4,613億円、従事者数33,263人であり、重工業で言えば、時価総額5,000億円程度の大企業に匹敵する規模であると見ることができる。

さらに、製造業の中でもその内訳を見てみると、以下のことがわかる（図４参照）。

① 製造品出荷額等で見ると、尼崎市において、鉄鋼業（16.9％）、情報通信機械器具製造業（9.2％）、非鉄金属製造業（8.1％）の割合が高く、全国平均と比較すると鉄鋼業で3.0倍、情報通信機械器具製造業で4.4倍、非鉄金属製造業で2.7倍となっている。

② 一方で、輸送用機械器具製造業（8.2％）は、全国平均値の40％にも満たない。

③ さらに、従業者数と製造品出荷額等の割合を見比べると、化学工業における生産性が高い一方で、鉄鋼業と金属製品製造業において生産性が低いことがわかる。

図３　尼崎市製造業の製造品出荷額等の推移（従業員４名以上事業所）［単位：億円］

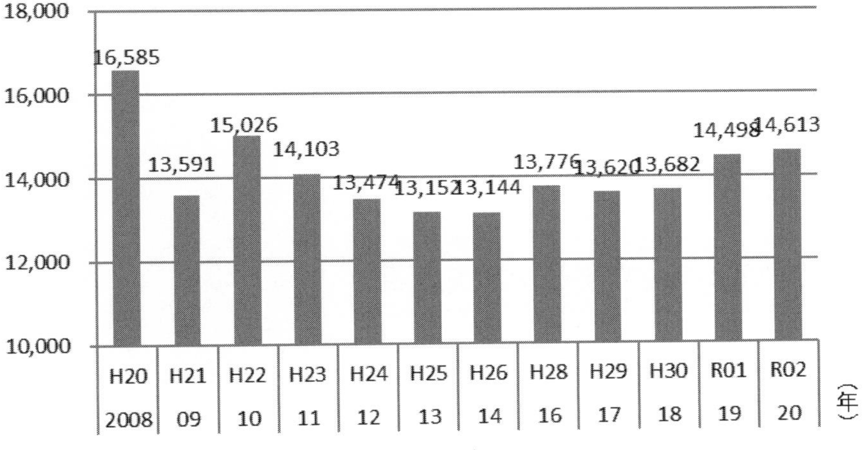

H20	H21	H22	H23	H24	H25	H26	H28	H29	H30	R01	R02
2008	09	10	11	12	13	14	16	17	18	19	20
16,585	13,591	15,026	14,103	13,474	13,152	13,144	13,776	13,620	13,682	14,498	14,613

（年）

出所：経済産業省「工業統計」、総務省「経済センサス」

図4　令和2（2020）年尼崎市製造業の中分類別の事業所数、従業員数（従業員4名以上事業所）、製造品出荷額等の割合

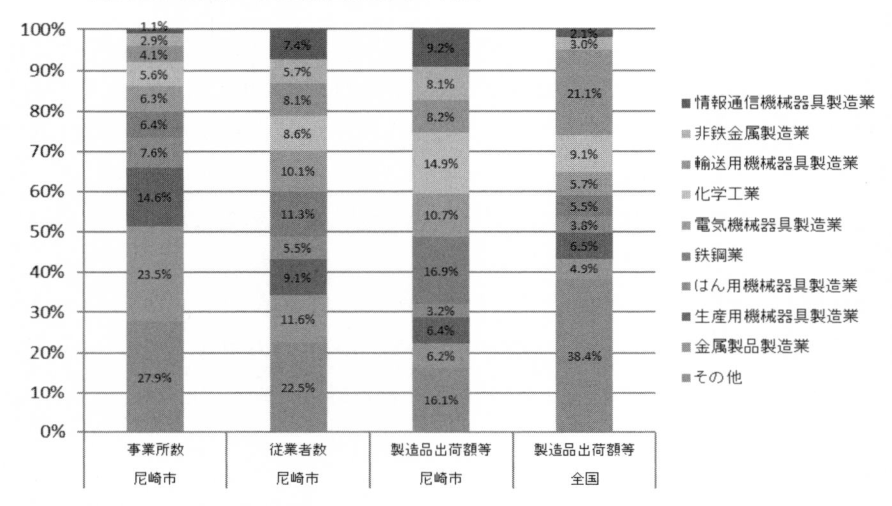

出所：経済産業省「令和２年 工業統計」

結論として、鉄鋼業を中心とした重厚長大産業が尼崎圏域の主要な産業であり、他の産業と比べて生産性が低くなっていることが問題であることが分かる。

なお、日本国内で製造業の中小企業の集積地として有名な場所として、東大阪市、浜松市、東京都大田区等の地域が挙げられる。尼崎市はその中でも総事業所数はそれほど多いわけではないが、大企業の事業所が数多く存在することに特長がある。このような環境中では、大企業を卒業された優秀なシニア層の能力や経験を活用することで、地域の産業を活性化できる可能性があると考えている。

3　AMPIの成立ちと企業支援活動

AMPIは、1993年12月に設立された公設民営の研究所である。すなわち、建物と設備は尼崎市と兵庫県が所有しており、それを無償貸与していただいて、民間企業の人財や資金を使って研究所を運営する組織形態である。

設立当時は、世界最大の出力（50kW）を誇るCO_2レーザ加工装置、同じくこの分野では世界最高出力（４kW）のYAGレーザ装置、および、プラズマ粉体肉盛装置等、一般企業が保有できないような設備を使った研究開発を実施する組織として、大企業から人財と研究開発費を集めることができた。具体的には、当時薄板しか加工できなかったレーザ装置によって厚板の金属材料を溶接することにより、発電設備の製造プロセスを画期的に効率化することを目指していた。こうした活動方針の下で、高い技術を持った研究者や技術者が集まることにより、設備利用や技術相談についても、近隣の中小企業の皆様への技術サービスを提供するという好循環が生まれて研究所を運営していた。

現在では、設立当時に導入した実験装置が老朽化することにより、当研究所の性格も、大企業向けの研究開発活動を主体としたものから、近隣企業への技術支援を主体とするものへ、大きく変容している。その結果として、当研究所の収入に占める国や地方自治体からいただく補助金の割合が大きくなっている。2021年度の収入割合を図５に示す。

現在は、国・県・市からの補助金が収入の3/4に達しており、特に尼崎市からの補助金が収入の50%を超えている。この状況から、尼崎市内の製造業を支援することが、当研究所の第一の使命となっている。

当研究所では、大企業の試験部門が持つような試験装置や計測装置を尼崎市や兵庫県から無償貸与していただいており、それぞれの装置を稼働させるス

図５　AMPIの収入と成果

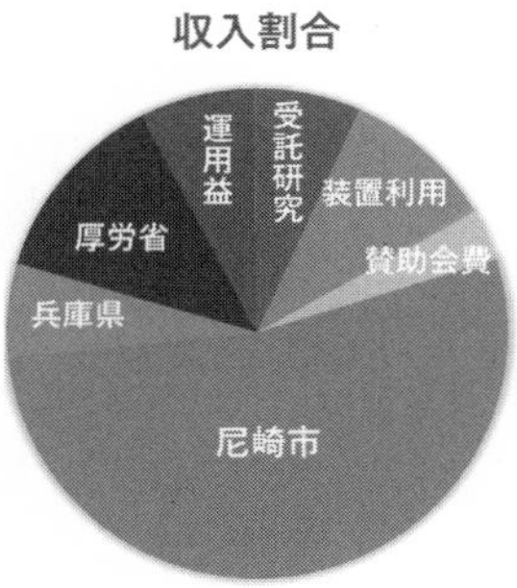

収入割合

運用益
受託研究
装置利用
賛助会費
厚労省
兵庫県
尼崎市

成果

①受託研究（４件、815万円）
②装置利用（823件、1,195万円）
③機器講習（25回、333名）
④セミナー開催（12回、124名）
⑤企業支援（73社、176回）
⑥技能選手権開催（1回、75名）

出所：筆者作成

タッフを配置している。これにより、近隣企業で何か問題が発生して、材料試験、表面観察、形状計測等が必要となった場合に、迅速にそれらを使って試験計測を行い、問題解決に貢献している。

さらに、近隣企業への支援活動として、製品トラブルに関する問題解決、製品開発の支援、製品品質向上の支援、生産量拡大に向けた外注業者の探索、技術セミナーによる最新加工技術の普及、金属材料や加工技術に関する研修プログラム等を提供している（図6参照）。

当研究所の強みは、学術研究機関・地方自治体・支援機関・金融機関・大企業とのコネクションが強いことが挙げられる。学術研究機関では、大阪大学、兵庫県立大学、産業技術短期大学と連携しており、地方自治体としては尼崎市と兵庫県、支援機関としては公益財団法人 新産業創造研究機構（NIRO）と強い連携の下で近隣企業の支援を行っている。また、金融機関としては、尼崎信用金庫との連携で企業支援を行っている。さらに、三菱電機株式会社や川崎重工業株式会社からは、人財を供給していただくと共に受託研究費をいただくことにより、強力な支援をしていただいている。

特に、大企業とのコネクションは、当研究所の企業支援活動にとって重要であり、このコネクションを活用することにより、外注企業の紹介等、近隣企業からの様々な要望に応えて質の高い支援を行うことができている。

図6　近隣企業の支援内容

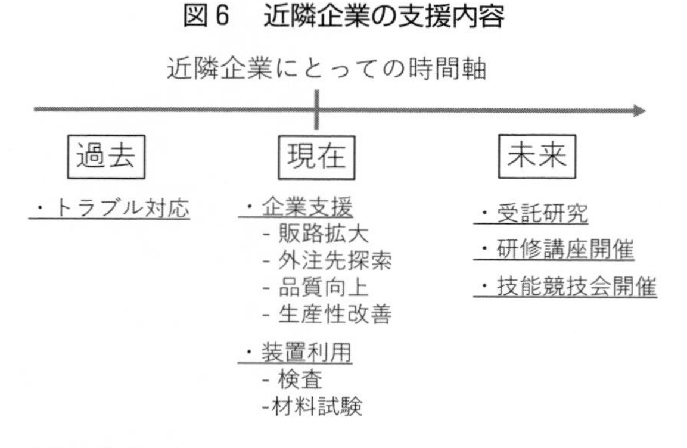

出所：筆者作成

4　中小企業にとってのオープンイノベーション

現在、日本国内外の大企業にとって、オープンイノベーションは、新製品開発や新事業開発のリードタイムを短縮し、開発費用を削減するための不可欠のツールとして認識され、活用されている。

オープンイノベーションを語る上で重要なイベントは、IBMによるパーソナルコンピュータの開発である。1984年に発売されたIBM Personal Computer AT（以下、“PC/AT”と略記する）は、開発スピードを最優先するために、主要部品をアウトソーシングした。PC/ATの中央演算装置をインテル社から、オペレーティングシステム（OS）はマイクロソフト社から供給を受けて、開発されたものである。

2003年には、ハーバード・ビジネス・スクールのチェスブロウ教授によって“Open Innovation：The New Imperative for Creating and Profiting Technology”が出版され、欧米ではその有効性が明確に認識されて、まずは欧米で積極的な活用が始まった。

日本でも2015年２月に「オープン・イノベーションの教科書」（星野達也著、ダイヤモンド社）が出版されて日本企業の成功事例が公開されることにより、日本国内でもオープンイノベーションが普及し始めた。現在では、多くの企業が新製品開発や新事業立上げにおいて、そのスキームを活用している。

大まかに言って、オープンイノベーションには２つの形態がある。まず、１つ目が、「補完関係にある異業種の大企業が業務提携すること」であり、もう１つが、「大企業と中小企業の間で技術のやり取りをする場合」である。本節では、後者のケースを対象にして尼崎圏域の中小企業がオープンイノベーションを活用してどのようにして売上を拡大することができるか、そして、AMPIがそれに向けてどのように貢献できるかを説明する。

尼崎圏域の近隣の中小企業が、オープンイノベーションに参画する場合、図７に示す２つのモード「技術提供型」と「技術活用型」のいずれかで取引を行うことが想定される。

図７　中小企業にとってのビジネスモデル

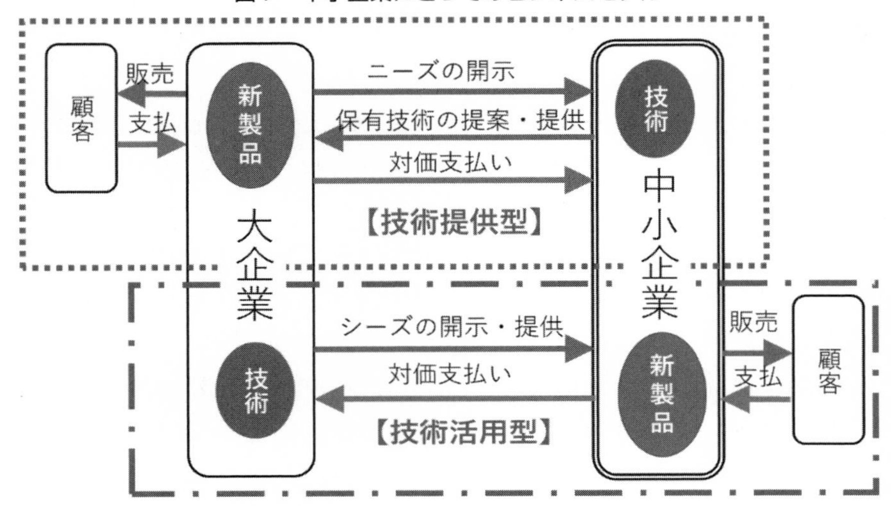

出所：筆者作成

まず、「技術提供型」は、大企業が新製品開発において必要となる技術を中小企業が提供する場合の取引である。技術提供型を成立させる機会として、最も身近なものが、展示会への出展である。展示会への出展は、中小企業にとっては保有技術のアピールであり、大企業のニーズを知る機会でもある。現有の製品や技術の売込みが主体であるが、大企業から自社の技術に興味を持ってもらえる、即ち、競合他社との違いをアピールすることが重要である。大企業側から示されるニーズに対して、中小企業側が保有する優れた技術を提案することで、取引が成立して大企業から中小企業に対して対価が支払われる。

逆に「技術活用型」は、中小企業が新製品開発において必要となる技術を大企業から調達する場合の取引である。通常は、大企業側から開示される休眠特許の情報等を基にして、中小企業側から提出される使用許諾要請に応じて技術提供を受け、中小企業から大企業側に対価が支払われる。

これら双方向のオープンイノベーションを活性化するために、大阪商工会議所は「MoTTo OSAKA オープンイノベーションフォーラム」において、大企業からニーズを公開するイベントとして「技術ニーズマッチング」を開催している。このイベントでは、大企業が探している要素技術（＝ニーズ）について説明して、そのニーズを実現できそうな中小企業からの保有技術の提案を受け、最も魅力のある技術を提案した企業と取引を行う（図８参照）。過去の実績からは、１社からのニーズ説明会に対して200社ほどの企業が参加している。競争率はかなり高いと覚悟しなければならないが、当研究所としては、まずは尼崎圏域の近隣企業にイベントの存在を知っていただき、イベントへの参加を促して行きたい。

ただし、こうしたイベントに参加して受注を獲得するためには、独自の技術や製品を持つ必要があり、その獲得に向けて、近隣企業は他社との差別化を考えて、自らの競争優位を構築することが不可欠である。このようなプロセスを理解した上で、AMPIでは、大企業側の評価基準を理解して、その評価基準に訴える競争優位を近隣企業が構築するお手伝いをすることができる。大阪に隣

図８　大阪商工会議所のオープンイノベーション支援活動

出所：大阪商工会議所ものづくり支援ポータルサイト
「MoTTo OSAKA　オープンイノベーションフォーラム」
（https：//www.osaka.cci.or.jp/innovation/open_innovation/motto_osaka.html）

接する立地を活かして、大阪商工会議所の「MoTTo OSAKA オープンイノベーションフォーラム」を通じて、近隣企業の売上拡大に貢献したい。

もう1つの事例として、「技術活用型」だけではあるが、オープンイノベーションを成功させている活動として公益財団法人 川崎市産業振興財団が実施している「川崎市知的財産マッチング事業」がある（図9参照）。大企業で使われていない知的財産、いわゆる休眠特許を中小企業が使うことにより、中小企業側にとっては新製品の機能を向上させることができ、大企業側は技術を収益化することができる。当研究所が持っている大企業とのコネクションを通じて、大企業が保有する技術を近隣企業の皆様に活用していただき、新たなビジネスを創出することを狙っていきたい。世界的に見れば、ゼロックス社のパロアルト研究所を見学することによって、スティーブ・ジョブスがマッキントッシュのユーザインタフェースの発想を得た事例がある。尼崎圏域内でも、大企業が開発して実用化できなかった技術を活用して、近隣企業によって新たな製品が開発されることに貢献していきたい。

図9　川崎市産業振興財団によるオープンイノベーション支援活動

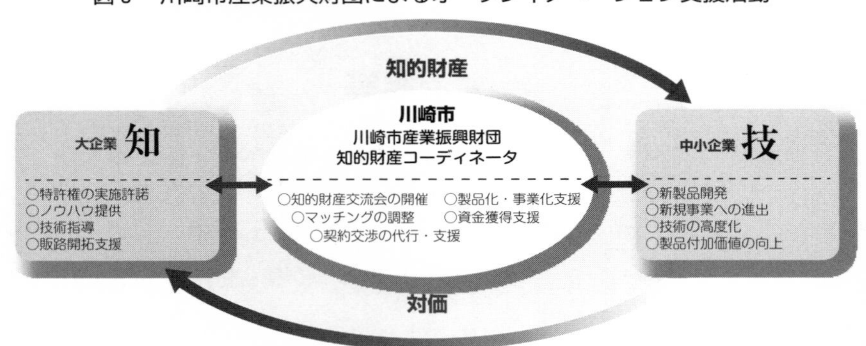

出所：川崎市産業振興財団ホームページ「知的財産マッチング事業」
（https://www.kawasaki-net.ne.jp/chitekizaisan/）

5　AMPI が果たすべき役割

近隣企業がそれぞれの強みを持って競争優位を構築できていれば、前節までの仕組みで大企業から受注を獲得できるが、全ての企業でそのようにうまく行くわけではない。近隣の各企業で、自らの強みを強化して、競合他社に負けないような競争優位を構築することがオープンイノベーションの時代を生き抜く上で不可欠である。しかも、中小企業は、自らの利益の中から研究開発費を捻出することが難しいため、公的資金を獲得する必要がある。当研究所は、近隣企業が公的資金を活用して競争優位を獲得することを支援し、技術提供型オープンイノベーションに研究開発活動を付加したビジネスモデルを具体化することを目指して、近隣企業を支援していきたい（図10参照）。

ここで、中小企業向けの研究開発費として支給される代表的な補助金を図11に示す。公的資金として最大のものは、経済産業省が提供する「成長型中小企業等研究開発支援事業（Go-Tech 事業）」である。産学連携の補助金であり、最長３年間、最大約１億円のプロジェクトであり、設備投資も賄える。ただ

図10　AMPI が提唱する研究開発型オープンイノベーション（AMPI モデル）

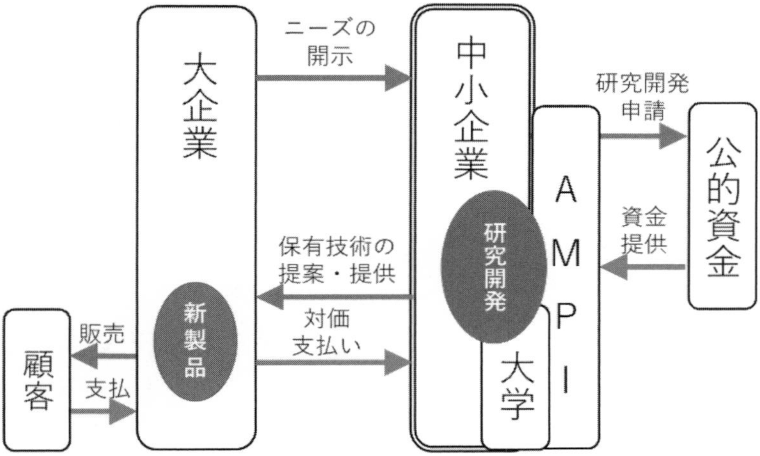

出所：筆者作成

図11　中小企業の研究開発向け公的資金

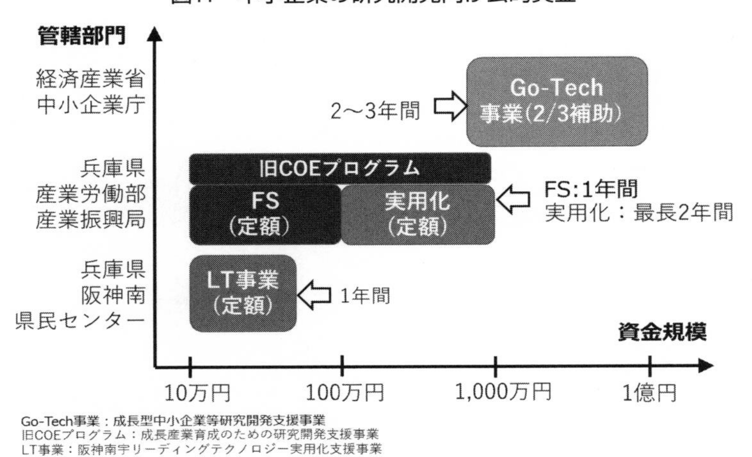

出所：筆者作成

し、中小企業の補助率は2/3であり、優れた財務体質の企業でなければ対応できない。それに比べて、兵庫県産業労働部や阪神南県民センターからの補助金では、全額補助を得られる。Go-Tech 事業と比べて資金規模は小さいが使いやすい補助金であり、企業の財務状況に合わせて使い分けることが必要である。

さらに、これらの公的資金を活用して売上に繋げるためには、研究開発プロジェクトを立ち上げる際に、売込み先のエンドユーザーをあらかじめアドバイザーとして参画していただく事が不可欠である。Go-Tech 事業の前に同じ枠組みとして実施されていた「戦略的基盤技術高度化支援事業（サポイン事業）」では、技術的には研究開発に成功した場合でも、開発品の販売先が見つからず売上が立たない事例がある。そのような失敗を避けるためにも、プロジェクト立上げ時点でのエンドユーザーの参画が必須である。

今後は、当研究所を起点にして、Go-Tech 事業にチャレンジする意欲のある近隣企業をパートナーとして、エンドユーザーや大学も巻き込んで、成功事例を作っていきたい。

サポイン事業での成功事例として、10年ほど前からサポイン事業を活用して会社を拡大しているのが豊橋鍍金工業である（図12参照）。同社は、サポイン

図12　豊橋鍍金工業株式会社の外観（左）と売上高推移（右）

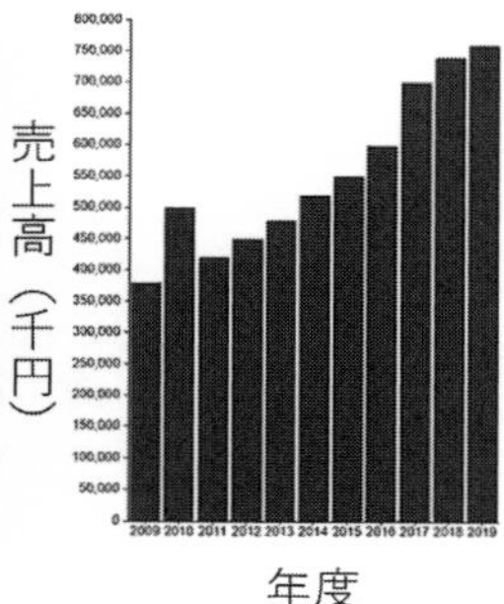

出所：豊橋鍍金工業株式会社（https://www.toyohashiplating.co.jp/company）

事業を活用して新製品・新技術を次々に開発して売上を増やすことにより、10年間で売上高をほぼ2倍にした。その成功の秘訣を学ばせていただき、尼崎圏域内で横展開していきたい。同社の成功要因をしっかり勉強することにより、それを尼崎の地で横展開して、尼崎圏域の経済を活性化したい。

6　おわりに

本稿ではまず始めに尼崎市を中心とした地域の製造業に関する状況を確認し、当研究所の成立ちと業務について紹介した。さらに、中小企業の皆様にとってのオープンイノベーションの位置付けを整理した上で、当研究所が提案するオープンイノベーションの枠組みを活用した研究開発によるビジネスモデルを提案した。

ここで提案するビジネスモデルは、未だ仮説の段階であるが、今後は実践に向けて活動していきたい。経済産業省からの補助金であるGo-Tech事業により、尼崎圏域に研究開発費を調達することにより、地域企業の皆様が競争優位を構築することに貢献していきたい。

AMPIは2023年12月で創立30周年を迎える。今後も、近隣企業の皆様のお役に立てる活動をするように、鋭意努力していく所存である。

[参考文献]

尼崎市 経済環境局 経済部 経済活性課、公益財団法人 尼崎地域産業活性化機構 (2021)「令和3年度版　尼崎経済データブック」

大阪商工会議所　ものづくり支援ポータルサイト「MoTTo OSAKA オープンイノベーションフォーラム、https://www.osaka.cci.or.jp/innovation/open_innovation/motto_osaka.html

公益財団法人 川崎市産業振興財団「川崎市知的財産マッチング事業とは」、https://www.kawasaki-net.ne.jp/chitekizaisan/matching/

豊橋鍍金工業株式会社、https://www.toyohashiplating.co.jp/company

星野達也 (2015)「オープンイノベーションの教科書」(ダイヤモンド社)

吉田雅彦 (2019)「日本における中堅・中小企業のオープンイノベーションとその支援組織の考察」専修大学出版局

Chesbrough, Henry William (2003) *Open Innovation : The New Imperative For Creating and Profiting from Technology*, Harvard Business Review Press.

特集論文〈Ⅱ〉
人　材

Ⅲ ポストコロナ時代における人材育成と新しいワークスタイル

加納 郁也
兵庫県立大学 国際商経学部・大学院社会科学研究科 教授

1 はじめに

2019年末にはじまった新型コロナ感染症の感染爆発は、世界中の人々の仕事と生活に大きな影響を与えており、それは現在もなお続いている。

こうした予期せざる環境変化に対して、企業も労働者も迅速に適応しなければならないが、新型コロナ感染症の世界的拡大が始まって数年が経過した現在、わが国においては、いくつかの課題が明らかになってきた。企業が抱える重要な問題としては、日本企業の人的資源管理の環境不適応があり、労働者が抱える重要な問題としては、人が保有する知識や技能と雇用との関係の問題がある。

本稿では、これらの問題に関して、日本企業の伝統的な人的資源管理における人材育成、雇用システムとジョブマッチングとの関係、新型コロナ感染症の世界的拡大を契機に加速化するワークスタイルの変化、雇用の未来と新しいワークスタイルについて、順に考察を進めたい。

なお、尼崎市および尼崎地域の経済における具体的な施策やプログラムについての言及は他稿に譲ることとし、本稿では時間的・空間（地理）的に視野を拡げ、人材育成と雇用およびワークスタイルについて、短期的な変化と中長期的な未来について述べることとしたい。

2 日本企業の伝統的な人的資源管理における人材育成

日本企業は、これまで、世界的にみても特有の人的資源管理（Human Resource Management）諸制度を設計し、修正しながら運用してきた。アベグレン（1958）や『OECD対日労働報告書』（1972）において提示された「日本的経営の三種の神器」すなわち年功序列、終身雇用、企業別組合は、少しずつ変容してきているものの、必ずしも外部労働市場の流動化が進んでいるとはいえない。

わが国の長期にわたる経済低迷は「失われた20年」あるいは「失われた30年」とも呼ばれるが、多くの日本企業が社会的、経済的、技術的な環境変化に適応できなかったことが、その主たる要因である。1990年代初頭のバブル経済崩壊後、現在に至るまで、成果主義やコンピテンシーの導入など、いくつかの人的資源管理諸制度の変革が試みられたが、広く普及し定着しているとはいえない。近年では、これまでのメンバーシップ型雇用に対して、欧米企業に一般的にみられるジョブ型雇用の要素をどのように取り入れるのか、あるいは、ジョブ型雇用へどのように転換していくのかという議論が進められるようになってきたが、課題のもとをたどれば、いずれも企業と職務と人材をどのように結びつけるかという点に集約される。

すでに形成されている日本企業の人的資源管理諸制度は、特に大企業において、職能資格制度や役割等級制度に代表される従業員社内格付け制度を基盤として、これとリンクするかたちで新卒一括定期採用、企業内部での人材育成、評価制度、報酬システム、異動や昇進などの仕組みが一定程度整合的、相互補完的に運用されてきた。森口（2013）では、1890年代を起点として、1970年代初頭の高度成長期にいたるまでの日本企業における人的資源管理諸制度の形成過程とその合理性について、これらの制度が有機的に結びつきをもって設計され運用されてきたことが明らかにされている。

ここで、あらためて、メンバーシップ型雇用とジョブ型雇用について、人材育成と遂行する職務の状況に関する項目をとり上げて整理しておきたい。

表1で示したとおり、メンバーシップ型雇用においては、いわば企業内部において疑似的な労働市場が形成されており、評価制度、報酬システム、人材育成システム等の一部だけを取り出して修正することはきわめて困難であることが分かる。

表１　メンバーシップ型雇用システムとジョブ型雇用システムの比較

	メンバーシップ型雇用	ジョブ型雇用
基本原則	個人と職務の結びつきが緩やか	個人の担当職務が明確
採用対象者と時期	新卒一括定期採用が中心	職務の必要性に応じて随時
人材育成方法	OJTや研修など社内中心	教育機関など社外中心
担当職務の変更	柔軟	硬直的
職務切り分けの程度	中程度ないし低い	高い
雇用の流動性	低い（内部労働市場中心）	高い（外部労働市場中心）

出所：筆者作成

本稿の主題である人材育成に焦点を絞ってみると、新卒一括定期採用を前提とし、応募者が採用時に企業から評価されるのは、多くの場合、当該応募者の保有する知識や技能というよりは、協調性、積極性、自主性、責任感といった人物面の要素であることが多い。すなわち、企業における人材育成は、大学や高等学校での学習内容とは希薄な関係しか持たないという前提で、社内において企業特殊技能として形成される。

中堅・中小企業においては、必ずしも大企業と同様の従業員社内格付け制度を有しておらず、体系的な人的資源管理が行われてはいない実例もあるが、社内での高度な技能形成や人材育成が中心になっている点は同じである。

しかし、2019年末にはじまる新型コロナ感染症の世界的拡大によって、雇用・労働の側面から、この変化に迅速に適応できた企業とそうでない企業との二極化が進んできた。次節では、これについて、労働者のワークスタイルの変化を中心にみていきたい。

なお、組織における人の管理を表す語として、1990年代から用いられてきた「人的資源管理」に代わって、2010年代後半から「人的資本経営」が、とりわけ実務において好んで用いられるようになってきた。学術用語としての「人的資本（Human Capital）」は、1992年にノーベル経済学賞を授与されたBecker（1964）によって提唱された概念であり、「人的資源」よりも早期に登場している。したがって、「人的資源」は古い語であり「人的資本」は新しい語であるという言説は誤りである。「人的資本」という語が見直されることになった主な契機は、2015年9月にニューヨークで開催された国際連合の「持続可能な開発サミット」において示された「SDGs（Sustainable Development Goals）：持続可能な開発目標」にあると思われる。特に2018年12月にISO（International Organization for Standardization：国際標準化機構）が発表した人的資本に関するガイドラインであるWong, Anderson, and Bond（2019）およびISO30414において「人的資本」という語が用いられたことで、この語は、SDGs概念の社会への広がりとともに、実務においても広く普及していった。

そもそも「人的資本」と「人的資源」は、語の成り立ちが異なっている。「人的資本」は、経済学を起源とし、人を投資対象として、教育訓練や育成の重要性を強調する語である。一方、「人的資源」は、それまでの経営学において用いられてきた「人事労務管理」に対して、組織で働く人々のモチベーションやリーダーシップ、近年ではワークエンゲイジメントやウェルビーイングといった心理的ないし行動科学的側面を包摂することによって、組織の存続と成長を促す人材を育成するという側面を強調する語である。

そこで本稿では、筆者の専門分野である経営学の慣例に従い、「人的資源」ないし「人的資源管理」という語を用いることとするが、本叢書のテーマに鑑みて、「人的資本」と読み替えて差し支えないように留意して記述することとしたい。

3　二極化が進む日本企業の人的資源管理とワークスタイルの変化

新型コロナ感染症の世界的拡大を契機に、日本企業の人的資源管理の二極化が加速している。すなわち、前述のような社内格付け制度を中心とする日本企業の伝統的なメンバーシップ型の人的資源管理とジョブ型ないしジョブ型を取り入れた人的資源管理である。

この相違が、新型コロナ感染症への対応を二分したひとつの要因であると考えられる。特に、政府や地方自治体によって発令・要請された緊急事態宣言やまん延防止等重点措置への対応として、ICT（Information and Communication Technology）を利用することによって、あらかじめ定められた職場、事業所、勤務地ではないところで職務を遂行するテレワーク、リモートワーク、在宅勤務などと呼ばれる働き方を進める企業が増加した。この過程において、メンバーシップ型雇用を導入している企業とジョブ型雇用を導入している企業との間で、対応にいくつかの相違がみられる。「テレワーク」または「リモートワーク」は、必ずしも自宅での勤務を意味しておらず、「在宅勤務」ほど職務遂行の場所を限定した語ではないが、新型コロナ感染症対策としての働き方の実態からみて、本稿に限定して、ほぼ同義のものとして扱いたい。

順に説明すれば、まず伝統的なメンバーシップ型雇用を実践している企業においては、新型コロナ感染症対策として、テレワークを検討・実施する企業が漸増したが、必ずしも有効に機能したとはいえない。なぜなら、メンバーシップ型雇用は、個人に明確な職務が割り当てられないすり合わせ型の職務遂行が中心であり、各従業員が上司、同部署の同僚、他部署の同僚、さらには顧客とのコミュニケーションを通じて職務を遂行するため、完全に独立して自律的に職務を遂行することが困難だからである。また、在宅勤務を実践するための手続きも、担当職務のなかから自宅において一人で行うことができる職務を切り出し、上司の承認を得て、場合によっては在宅勤務申請書や在宅勤務報告書などを提出しなければならない。これでは、生産性が高まるどころか、コストが増えるばかりである。

一方、ジョブ型雇用を取り入れている企業においては、メンバーシップ型雇用の企業にみられるような在宅勤務の実践に伴う付加的コストが少ない。こうした対応は、特にIT企業やEC（Electric Commerce）関連企業、少人数の新興ベンチャー企業など、ICTの利活用が進んでいる企業において多くみられるが、2020年ごろから日立製作所、富士通、資生堂、カゴメ等、一部の大企業においても導入されている。また、ジョブ型雇用を採用している企業の多くは、中途採用者を多く雇用している点にも注目すべきである。つまり、別の企業や教育機関等において、職務遂行のために必要な基礎的知識や技能をすでに習得済みの労働者を雇用しており、職務遂行のために必要な教育コストを抑制しているのである。

ただし、メンバーシップ型雇用を実践している企業であっても、データベースや各種グループウェア、Chatwork や Slack などのビジネス・コミュニケーション・ツール、さらにはバーチャルオフィスといった ICT 技術を積極的に活用し、組織コミュニケーションに係るコストを最小限に抑え、対面での職務遂行と同様の環境をバーチャル空間に設計して対応している場合もある。これは、ジョブ型雇用のように各従業員の職務を切り分けようとするのではなく、ICT を利用して、事業所に出社するのと同様の環境を構築しようとするものである。

雇用システムとテレワークとの関係については、メンバーシップ型雇用と比べて、ジョブ型雇用のほうが、親和性が高く適用しやすい。なぜなら、ジョブ型雇用は、個人への職務割り当てが明確で、職務遂行の自律性が高いからである。しかし、メンバーシップ型雇用の下でも、現在の進化した ICT を利用することによって、疑似的な職場環境をバーチャル空間に構築し、従業員間の組織コミュニケーションを円滑にすることが可能になってきた。

いずれにせよ、採用する雇用システムないし人的資源管理諸制度によって、適切なテレワークの実施方法が異なり、これらが整合的に運用されなければならないことが理解できる。

4　雇用の未来と人材育成

本稿では、これまで、従来の日本企業の中核的な雇用システムであったメンバーシップ型雇用における人材育成とワークスタイルの特徴およびジョブ型雇用への転換に伴う諸課題について述べてきた。

一方で、労働者側から見た場合の人材育成上の主な課題は、ジョブマッチングである。短期的には、産業と人材との間のいわゆる人材需給ギャップによるジョブマッチングの問題であり、中長期的には、いま人が行っている職務が AI（Artificial Intelligence）に置き換わることによるジョブマッチングの問題である。

まず、短期的なジョブマッチングの問題に関する調査の一例を挙げると、文部科学省と経済産業省が共同で開催した「人材需給ワーキンググループ」の取りまとめ結果が、2017年に発表されている。これは産業界が求める理工系人材と大学で育成している研究者の需給ギャップについて調査したものである。このなかで、機械産業やIT産業における企業ニーズはきわめて高いにもかかわらず、育成される研究者が少ないため、需給ギャップが大きくなっていることが示されている。一方で、分子生物学やバイオ工学関連産業においては、企業ニーズは機械産業やIT産業ほど高くないにもかかわらず、育成される研究者が多く、需給ギャップが大きくなっているという結果が示されている。

また、企業規模別にみた場合の人材充足率についても、製造業・非製造業に関係なく、企業規模が小さければ小さいほど人材確保に苦労し、人材未充足率が高いという調査結果が、『2018年版 中小企業白書』において示されている。

このように、2017年の人材需給ワーキンググループの調査結果では、高度な教育を受けている人材と産業界のニーズとの間のミスマッチが示されており、『2018年版 中小企業白書』においては、労働者が就職を希望する企業と中堅・中小企業の求人数との間のミスマッチが示されている。

次に、中長期的なジョブマッチングの問題についてみてみると、Frey and Osborne（2013）では、702の職種について、10年ないし20年後にコンピュータ化とAIの発達によって消滅する確率が示されている。すなわち、いま人の手で行われているそれぞれの職務が、どの程度コンピュータやAIに置き換わってしまうリスクを有しているのかが、職種別に確率で示されているのである。Frey and Osborne（2013）によれば、コンピュータ化の影響を受けにくい職務は、次の3つであるという。すなわち、複雑な知覚とオペレーションを要する業務（perception and manipulation tasks）、創造的知性に関する業務（creative intelligence tasks）、社会的知性に関する業務（social intelligence tasks）である。該当する職種としては、複雑な知覚とオペレーションを要する業務については外科医が、創造的知性に関する業務については生物学者やファッションデザイナーが、社会的知性に関する業務についてはイベントプランナーや広報が、それぞれ挙げられている。また近年、これらがやや形を変え、クリエイティビティ（creativity）、ホスピタリティ（hospitality）、マネジメント（management）に関する職務が人の手に残る仕事であるとして、さまざまな論考で言及されている。

このように、短期的に見れば、産業界が求める人材と教育機関で育成する人材が、職種レベルにおいてミスマッチを生じさせており、中長期的には、現在は人の手によって進められている職務が、コンピュータに置き換わるという意味でのミスマッチが予測されているのである。

5　ポストコロナ時代における人材育成と新しいワークスタイル

わが国では、職業人あるいは企業人としての人材育成は、多くの場合、企業がその役割を担ってきた。また、メンバーシップ型雇用のもとでは、安定的に新卒者が採用されていたため、若年労働者の失業率が低く抑えられてきたが、今後ジョブ型雇用の導入が進むとすれば、入職時の知識や技能が相対的に乏しい若年労働者の失業率が高まることは必至である。

このようにみてくると、もし企業がメンバーシップ型雇用からジョブ型雇用への転換を進めるとしても、労働者が企業に就職した後、ただちに職務遂行が可能な人材の育成を、いったいどの機関が担うのかという課題に直面する。大学のいわゆる理系学部と商業科や工業科等の専修科をもつ高等学校を除いて、大学の文系学部や普通科の高等学校が直ちにこの役割を担うことはできない。また、現在まで、そうした即戦力人材の育成が社会的に期待されてきたわけでもない。

ワークスタイルの変化については、今後いっそうテレワークの導入が進むことが予測できる。将来にわたる技術革新や感染症のアウトブレイク（outbreak：感染爆発）やパンデミック（pandemic：広域同時流行）、さらには今後数十年のうちに高い確率で発生するといわれる東海・東南海・南海地震等の環境変化によって、現在のような職務遂行が困難になる場面が想定されている。こうした環境変化に適応するために、BCP（Business Continuity Plan）

の一施策としてテレワークを設定している企業も少なくない。今回の新型コロナ感染症対策として、すべての新任研修をテレワークで実施した住友生命のような企業も多くみられる。

ジョブ型雇用システムはどの職種においても適用可能であるが、現在のところ生産・製造設備の操作やモニタリング等に従事する従業員にテレワークを適用することは困難である。中長期的には、IoT（Internet of Things）の今後いっそうの進展によって、企業において現業に従事する従業員のテレワークも実施できるようになるであろう。また、Frey and Osborne（2013）において予測されているように、現在は人の手によって遂行されている職務が、コンピュータやAIに置き換わっていくという見通しもある。しかし、短期的には職場での職務遂行が継続されることになる。

一方、労働者の視点からは、たとえば企業内の所属先としては東京あるいは外国の事業所に籍を置いているが、尼崎に住みテレワークを実践するというような、仕事の場と生活の場が切り離された暮らしの実現が次第に容易になってきている。これをサポートするのが地方自治体のひとつの役割として認識され、今後いっそう注目されることになるであろう。

より重要な問題は、「どこで（誰が）どのような人材を育成するのか」ということである。

企業が、これまでのメンバーシップ型雇用からジョブ型雇用への転換を進めた場合、従来どおり企業内部での人材育成を維持し続けることができるのか。教育機関は、企業の雇用システムのジョブ型雇用への転換が進んだ場合に、どのような社会的役割を担い、どのような人材を育成しなければならないのか。さらに、地域あるいは地方自治体は、企業や教育機関に対してどのような施策を講じ、どのようなサポートをしなければならないのか。今後予測される環境変化は、もはや組織単体で対応できるものではないため、これら各組織の情報共有と連携が欠かせないであろう。

6 むすび

本稿では、まず日本企業の伝統的なメンバーシップ型の人的資源管理および人材育成の方法について確認し、メンバーシップ型雇用システムが、新型コロナ感染症の世界的拡大という環境に適応するために変化を余儀なくされていること、特にテレワークという新しいワークスタイルを導入するための課題について考察してきた。

また、労働者の立場から、個人が持つ知識や技能と職務とのマッチングについて、短期的な課題と中長期的な課題について言及し、最後に、ポストコロナ時代のワークスタイルの変化と人材育成の課題について述べてきた。

本稿でこれまでみてきたように、メンバーシップ型やジョブ型に代表される企業の雇用システム、人材育成、ワークスタイルの三者は不可分であり、体系的に設計され、整合的に運用されなければならない。どこか一点だけを変更・修正すればよいというものではないのである。

わが国では、経済環境の悪化に伴って、2000年ごろから、労働者のエンプロイアビリティ（employability）を高める必要があるといわれてきた。しかし、これを労働者個人の意識変革と努力に依存するだけでは、企業も個人も将来の環境変化に適応できない。

人材育成において、企業、教育機関、地域が果たすべき社会的役割はこれまでと同様だとしても、その内容は変化していくであろう。そのため、企業は雇用システムを、教育機関は教育プログラムを、地域は企業と教育機関をサポートする仕組みを、今後それぞれ見直さなければならない。それと同時に、これらを一貫性のあるものとして設計し、整合的に運用するために、より正確な環境認識の共有と、より強固な協力と連携が相互に求められている。

[参考文献]

厚生労働省（2018）『令和３年版　労働経済の分析』、厚生労働省。

人材需給ワーキンググループ（2017）『人材需給ワーキンググループ取りまとめ（理工系人材育成に関する産学官円卓会議への報告）』、人材需給ワーキンググループ事務局（文部科学省高等教育局専門教育課、経済産業省産業技術環境局大学連携推進室）。
中小企業庁（2018）『2018年版　中小企業白書』中小企業庁。
濱口桂一郎（2009）『新しい労働社会：雇用システムの再構築へ』、岩波書店。
森口千晶（2013）「日本型人事管理モデルと高度成長」『日本労働経済雑誌』634、52–63頁。
Abegglen, J. G.（1958）*The Japanese factory : Aspects of its social organization*, Free Press.（アベグレン、J. S. 著、占部都美監訳（1958）『日本の経営』、ダイヤモンド社）。
Becker, G. S.（1964）*Human Capital : A Theoretical and Empirical Analysis, with Special Reference to Education*, National Bureau of Economic Research.（ベッカー、G. S. 著、佐野陽子訳（1976）『人的資本―教育を中心とした理論的・経験的分析』、東洋経済新報社）。
Frey, C. B. and Osborne, M.（2013）"The Future of Employment : How Susceptible Are Jobs to Computerisation?" *The Oxford Martin Programme on Technology and Employment*, Working Paper.
Wong, W., Anderson, V., and Bond, H.（2019）*Human Capital Management Standards*, Kogan Page.
Organisation for Economic Co-operation and Development（1972）*Reviews of Manpower and Social Policies : Manpower Policy in Japan*,（OECD 著、労働省訳・編（1972）『OECD 対日労働報告書』）。

Ⅳ 地域における産業人材の育成に向けて ――大学教育の担う役割――

小島 彰
産業技術短期大学 学長

1 地域における大学の役割

地域における大学の役割については、2021（令和３）年12月の中央教育審議会大学分科会の審議まとめ(1)で示されている。

それによると地域における大学の役割としては、

①地域産業に必要不可欠な従事者、DX やグローバル化推進のための人材、多様な人材を育成する人材育成機関

②産業界と連携し、イノベーション、新産業の創出や地域の発展や課題解決に資する高度な研究能力を有する機関

③地域の文化や歴史を発展・継承する役割（地域の魅力の発信）

④知と人材のハブとしての役割

があるとしている。

大学にとって、地域は学修のフィールド、学修以外の様々な経験の場、イノベーション創出のきっかけとなる地域課題の宝庫、DX やグローバル化の最前線であるので、教育のみならず様々な取組を総合的に進め、大学が地域の中核的な拠点となることを目指すことが望まれる。

地域のために大学が貢献するとともに、地域も大学と一緒になって取組を進める。こうした大学と地域の関係の構築が必要で、教育研究を通じた「社会的な実践」が重要である。地域への優秀な人材の輩出や、大学の知の活用・社会実装を通じた地域の課題解決や地域経済の発展を支え地域に貢献する「地域の中核となる大学」を目指す取組が必要とされている。

これらを踏まえ、

①地域ならではの人材育成の推進
②地域ならではのイノベーションの創出
③「地域の中核となる大学」を実現するための連携の推進
の各項目について国、大学、地方公共団体・産業界での取組事例が示されている。

これらのうち、人材育成面での取組として、大学及び地方公共団体・産業界での取組事例としては、

①学生の就職状況等の各種データの分析及び地域で必要とされる人材育成プログラムの構築及び実施
②地域の産業界等における実践的な長期インターンシップの実施、地域の人材需要を反映した短期集中型のリカレントプログラムの構築
④遠隔授業の活用や地域課題の解決と教育研究とを融合した取組の推進
⑤文理融合・分野横断による高度なSTEAM(2)人材育成の取組
⑥地域の将来像や育成する必要のある人材像について議論を行う場としての地域連携プラットフォーム等の構築
⑦大学が実施するプログラムへの講師の派遣や寄附金や寄附講座の提供
⑧実践的な長期インターンシップの受入れ
⑨地域に就職した学生に対する奨学金返還支援事業の実施

などが挙げられている。

このような施策が地域別にどれだけ実施されているかは、大学については大学の規模やそのアクティビティの程度、地域に存在する大学の数、大学の専門分野の差異等に依存する。また、地方公共団体・産業界側も大学の人材育成の役割をどれだけ評価するかによってその取組のレベルが変わると考えられる。今後、尼崎地域さらには阪神地域において大学が果たしている役割を評価し、地域との関係を強化するためには、個別の大学のみならず地域に存在する大学と地方公共団体や産業界等との協議の場を構築していくことがその一歩であると考えられる。

2 短期大学教育の特色

短期大学における教育の特色として、2014（平成26）年にまとめられた中央教育審議会の短期大学ワーキンググループの審議まとめ[3]では以下の6点を挙げている。

（1）学位が取得できる短期高等教育機関

短期大学は、「大学」の一類型として学校教育法上位置付けられ、「深く専門の学芸を教授研究し、職業又は実際生活に必要な能力を育成すること」を教育目的とし、「短期大学士」の学位を授与する権限が付され、その卒業生は4年制大学に編入学することができる。短期大学には、次の段階の高等教育システムに接続する仕組みが法的に確立している高等教育機関である。

（2）教養教育と専門教育のバランスの取れた高等教育機関

短期大学では、教養科目と専門科目を体系的に編成した教育課程を展開している。短期大学の教養教育と専門教育は、幅広い人間教育の実現に向けて、教育課程の中だけではなく、学生と教員や学生相互の啓発・交流活動、ボランティアやインターンシップ等、地域と連携した学外活動によって補完されている。

（3）職業能力を育成する高等教育機関

短期大学は、教養教育と専門教育を体系的に編成した教育課程によって、多くの専門職業人を養成してきた。幼稚園教諭（二種）、保育士などの数多くの資格が短期大学を卒業することにより無試験で取得することができる。教養に裏打ちされた汎用的職業能力を備えた卒業生を地域の多種多様な業種の企業・

事業所等に送り出し、地域の維持・発展に貢献している。短期大学の職業教育は、教養教育の基礎に立ち、分析的・批判的見地に立ったものの見方を育むもので、特定の職業分野の専門的技能を伝授する職業教育とは異なる特長を持っている。

(4)小規模できめ細かい教育を行う高等教育機関

短期大学は、4年制大学に比べると総じて比較的規模が小さく、学長・教員から一人ひとりの学生の顔が見える関係の中で、きめ細かい少人数教育を特色として、教育面により重点を置いてきた。短期大学の指導方法の特色は、①少人数教育、②導入教育(入学予定者を対象に基礎学力の補強、学習意欲の維持などを目指した事前指導)、③担任制度、④一貫指導(教養教育、専門教育、職業教育から資格取得に導く教育、就職支援まで一貫した指導を行う)にあり、短期大学ならではの教育効果を上げてきている。

(5)アクセスしやすい身近な高等教育機関

短期大学は、地元の高等学校を卒業して入学してくる学生が4年制大学に比して高い。卒業生の自県への就職率も高い実績を有しており、地域コミュニティに密着したアクセスしやすい身近な高等教育機関として重要な役割を果たしている。

(6)教育の質が保証された高等教育機関

短期大学は、教育条件について最低限の質を確保するため、国が定めた「短期大学設置基準」によって、卒業の要件、学科ごとに必要とする専任教員数、最低限必要とする校地・校舎の面積などが定められており、全ての短期大学は遵守することが義務付けられている。

以上のように短期大学は地域の身近に存在する短期の高等教育機関との位置づけが強く出されており、その役割を果たすためには地域との関係をこれまで以上に強化することが求められている。

3　短期大学の現状

こうした特色を有する短期大学であるが、現在では309校、在籍学生数は2022（令和４）年５月現在で491,799名と大学学部在籍者の293万人と比べるとその比率としては小さくなっている。また、専門学校在籍者の58万人と比べても少ない状況にある。主な都道府県、大都市の短期大学在籍者数は表１のとおりであり、兵庫県では4,755人で、東京都、大阪府、福岡県、愛知県に次いで全国５位の在籍者である。

上記の特色の（１）で示されたように短期大学卒業生の進路は就職のみならず、編入学があることが大きな特徴である。編入学は学校教育法で定められた制度で、短期大学の他、高等専門学校、専門学校などの卒業生が４年制大学の３年次（２年次の大学もある）に編入学するもので、国全体で8,000～9,000名程度の編入学者がいるが、そのうちの約５割が短期大学の卒業生である。短期大学全体では卒業生の約９％が編入学を選択しているが、その比率は学科によって異なり、工業系学科卒業生の編入学比率は23％である（表２）。この数値は高専卒業生の編入学比率とほぼ同等と推測される。

学科区分別の短期大学在籍者は表３のとおりであり、教育系、家政系、社会系の比率が高く、工業系の学科在籍者は全体の2.6％と小さな比率である。また、男女別の学生比率では、短期大学全体としては女子学生の比率が87.5％であるのに対し、工業系学科の女子学生比率は13.2％と大きな差がある。短期大学は、女子学生中心のイメージが強いが、工業系の短期大学は男子学生中心なので、短期大学全体のイメージとは異なっている。このことは工業系の学科への女子の入学者を増やす余地が大きいことを示している。

表1　主要都道府県、都市別短期大学学生数（令和4年度）

区分	男	女	計
北海道	579	2, 952	3, 531
埼玉県	270	3, 345	3, 615
東京都	647	7, 992	8, 639
神奈川県	205	4, 499	4, 704
岐阜県	1, 063	2, 297	3, 360
愛知県	430	5, 111	5, 541
京都府	464	2, 298	2, 762
大阪府	878	7, 181	8, 059
兵庫県	675	4, 080	4, 755
福岡県	852	4, 946	5, 798
札幌市	36	1, 595	1, 631
仙台市	306	2, 262	2, 568
東京（23区）	510	6, 450	6, 960
名古屋市	32	1, 779	1, 811
京都市	412	1, 811	2, 223
大阪市	83	2, 630	2, 713
堺市	34	497	531
神戸市	38	1, 024	1, 062
岡山市	92	1, 372	1, 464
広島市	37	1, 108	1, 145
福岡市	627	3, 110	3, 737
計	11, 465	80, 334	91, 799

都道府県別は、在籍する学科の所在地による。
出所：文部科学省「令和4年度学校基本調査」

表2　短期大学学科別編入学者比率（令和4年3月卒業生）

	卒業者 A	大学学部・短期大学本科進学者 B	比率 (B/A)
人文	4, 805	1, 387	28. 9%
社会	5, 132	736	14. 3%
教養	515	33	6. 4%
工業	1, 113	259	23. 3%
農業	388	143	36. 9%
保健	3, 006	13	0. 4%
家政	8, 317	554	6. 7%
教育	16, 799	490	2. 9%
芸術	2, 131	244	11. 5%
その他	3, 950	400	10. 1%
計	46, 156	4, 259	9. 2%

編入学進学者の統計数値はないので大学学部・短期大学本科進学者を編入学者と推定した。
出所：文部科学省「令和4年度学校基本調査」

表3　短期大学学科区分別在籍者数（令和4年度）

区分	男	女	計	構成比
人文	1, 192	6, 647	7, 839	8. 5%
社会	2, 579	7, 053	9, 632	10. 5%
教養	32	966	998	1. 1%
工業	2, 100	318	2, 418	2. 6%
工業男女比率	86. 8%	13. 2%	100. 0%	—
農業	390	433	823	0. 9%
保健	1, 078	7, 651	8, 729	9. 5%
家政	1, 036	15, 376	16, 412	17. 9%
教育	1, 514	31, 309	32, 823	35. 8%
芸術	618	3, 633	4, 251	4. 6%
その他	926	6, 948	7, 874	8. 6%
合計	11, 465	80, 334	91, 799	100. 0%
合計男女比率	12. 5%	87. 5%	100. 0%	—

出所：文部科学省「令和4年度学校基本調査」

4　産業技術短期大学での学び

産業技術短期大学における工学教育について、教育カリキュラムでみると、英語、国語、心理学などの人文科学科目、経済学、法律、経営学など社会科学科目を含む一般教育科目と、機械工学、電気電子工学、情報処理工学など各学科で設定されている専門科目の履修が必要で、64単位の取得が卒業要件である。専門科目ではそれぞれの科目の基礎を習得することとなる。４年制大学の教育課程と比べれば専門科目の中での応用的な科目、例えば、機械工学では自動車工学、航空工学などは時間の制約もあり対応できないものもあるが、機械工学の基本となる材料力学、流体力学、熱力学、機械力学、機構学、設計学、図学、さらにはこれらの基盤となる微分積分学や線形代数学などの科目を履修し、２年間の工学教育で機械工学の基礎的学力を習得する。卒業研修も２年次の前期、後期と１年間を通じて履修することにより、自分で考えて答えを出す論理的思考力を高められる。

このように４年制課程と比べて、半分の期間で、専門科目の基礎学力、高等教育で求められる論理的思考力を培うことが短期大学教育の特色である。短期大学卒業生はこうした能力を身に着け、４年制大学卒業生よりも２年早く、実践の場である実社会へ踏み込むこととなるが、これらの卒業生は、社会に出た後、短期大学で学んだことをベースにして様々な業務に対応することができる。短期大学卒業者の就職状況は、４年制大学卒業者と比べて遜色のない状況にあるのはこうした土壌によるものと考えられる（文部科学省学校基本調査より、卒業生の就職状況について無期雇用者比率（無期雇用者／（卒業者－進学者））の比率を算出すると、2021年３月では、大学79.2%、短期大学80.5%、2022年３月では、大学79.9%、短期大学80.9%となる）。

２年間の短期大学教育は、４年間の一貫の教育に比べてよりフレキシブルな教育システムという側面もある。18歳の選択として４年制大学へ進んだ学生は、転学部、転学といった選択もあるが、基本的には入学した学部、学科での教育を受ける。これに対し、２年間の短大教育と編入学後の２年間の高等教育プログラムでは、後半2年の教育課程を前半2年間の学習体験を踏まえて、改めて設定することが可能である。また、当初は編入学を考えていた学生も自分の適性を考慮して就職に進路変更する学生もいる。このように18歳の選択に比べて20歳の選択は自分の進路、適性をより深く考えての選択となるので、18歳の選択に比べてリスクの少ないものになることが期待される。国の教育再生実行会議第5次提言（2014（平成26）年7月）では、「高等学校卒業後の進路をより柔軟にするため、大学は、短期大学、専門学校からの編入学や学部間の転学、社会人の学び直し等の機会の拡大を図る。国は、高等学校専攻科修了者について、高等教育としての質保証の仕組みを確保した上で大学への編入学の途を開く。」ことが謳われている。

こうした短期2年間の高等教育機関としての短期大学が果たす役割について、短期大学関係者は広く社会へ訴求し、また社会からも再確認していただくことが必要と考えている。

5　産業技術短期大学の歩みと地域との関係

工業系短期大学の学生数は全体の2.6%にすぎないが、この中では自動車整備系短期大学の学生数が多い。工業系短期大学の中で機械工学、電気電子工学、情報処理工学、ものづくり創造工学という総合工学系の学科を有し、単独の短期大学として設置されているのは産業技術短期大学のみである。

産業技術短期大学は、1962年に鉄鋼業界によって設立されたという特色も有する（設立当初の名称は関西鉄鋼短期大学、その後鉄鋼短期大学を経て、1988年に産業技術短期大学に名称変更）。開学の趣旨は、鉄鋼企業従業員の資質を高めるためには企業内訓練と高度な学校教育の場を与えることが必要であり、鉄鋼業界自らが短期大学を設立し、業界の中堅技術者を養成すると共に一般社会の優秀な青年の教育にも貢献することが鉄鋼業界の繁栄にも繋がるとされている。

開学当初は、入学定員240名のほとんどが鉄鋼各社から派遣された社会人学生であり、全寮制で2年間の短期集中教育が開始された。その後国公立大学における理工系大学の学生増加の動きや鉄鋼業界の状況変化もあり、社会人学生が減少する中、1984年からは高校から一般学生の募集を本格化したところ、一般学生の比率は急速に増加した。その後の変遷を経て、現在では一般学生の比率が85％程度となっている。

機械、電気、鉄鋼の３学科で始まった短期大学は、その後の学科再編の過程を経て、現在では機械工学科、電気電子工学科、情報処理工学科及びものづくり創造工学科の体制で２年間の工学教育を実施し、これまで60年の間に14,500名以上の卒業生を世に送り出してきた。

卒業後の進路は就職又は編入学が主なもので、就職では日本製鉄、神戸製鋼所といった大手鉄鋼企業及びその関連企業、三菱電機、住友電気工業、ダイキン工業、ダイハツ工業、フジテック等関西地区の大手メーカー、阪神地区の中堅企業が多い、また情報処理工学科では情報通信技術（ICT）関連企業の比率が大きい。

編入学は、国公立大学では北海道から沖縄までの各地に存在する大学への進学、私立大学では関西地区の大学が多いものの、首都圏の大学に進学する者もいる。産業技術短期大学の編入学者の一般学生卒業者に占める比率は20％程度であるので、工学系短期大学の比率に対応している。

入学者の状況は、年によって異なるが、基本的には兵庫県出身者が半数を占め、次いで大阪府が25％程度、以下、京都府、和歌山県、奈良県、滋賀県の近畿圏及び鳥取、岡山等の近隣県出身者が多い。また、四国、九州、中部、関東からの入学者も数は少ないものの存在する。社会人学生は全国の鉄鋼メーカー事業所からの派遣なので、大手メーカーの立地している地域からの派遣が多い。

産業技術短期大学への入学者と卒業生の進路を対比してみると、社会人学生は別として、兵庫、大阪、阪神地区を中心とした学生が入学し、地元であるこれら地域への就職が基軸である。その意味で産業技術短期大学は阪神地区におけるモノづくり産業を中心とする産業界への高等教育履修者を供給する人材供給機関としての役割を果たしている。

産業技術短期大学の教育の特色である企業派遣社会人学生と一般学生の共学

について触れる。企業派遣学生に対するプログラムとしては、２年間の短期大学教育に加えて、１年間の履修証明プログラム、特定の科目の単位取得を目指す科目履修生制度があるが、２年間の短期大学教育課程が中心である。現在、企業派遣社会人学生は25名から30名程度と、入学生の15％程度であるが、社会人学生の一般学生の教育に与える効果は大きい。

高校からの入学者である一般学生は、社会人学生との学園生活を送る過程で、社会人のものの考え方や仕事に対する心構えなど通常の学校教育では得られることのできないことについて社会人から学ぶことができる。社会人学生は企業から選抜されて、派遣されている者が多く、夏期、春期の休業期間中でも大学内に設置されている人材開発センターの実施する特別講座への出席、各種国家資格の獲得、さらには鉄鋼関係を中心とする学会への出席、発表など、概して勉学へのモチベーションが高い。こうした学生の生活態度、学習への取組は一般学生の勉学に大きな影響を与えていると言える。

6　産業技術短期大学と外部連携の状況

産業技術短期大学では、企業、産業関連団体等外部組織との連携協力による研究推進、人材育成活動（産官学連携活動）を担当する産官学連携推進室及び地域自治体、地域の大学等との協力により地域政策課題の解決のための活動（地域連携活動）を担当する地域連携推進室を設置し、またこれらに対応する産官学連携推進委員会及び地域連携推進委員会を組織し、自治体、高校、産業界、他の大学と様々な形態で活動を展開している。

自治体との関係では、尼崎市、伊丹市と協力を行っている。

地元の尼崎市とは2009（平成21）年に特待生に関する協定書を締結し、尼崎市が推薦する特待生の受入れを実施している。これに基づく特待生の入学者は年によって差はあるが４～５名程度である。さらに、2016（平成28）年に包括連携協定を締結し、人的資源及び知的資源の交流、調査研究・事業の面での協同、相互支援等進めるなど関係が強化されている。特待生制度については2017（平成29）年に伊丹市とも協定を締結し、特待生の受入れを行っている。

経済団体では2017（平成29）年に尼崎経営者協会と連携協定を締結し、協会加盟企業での人材育成支援やインターンシップの推進、協会加盟企業と産業技術短期大学との知的財産、技術の実用化及び事業推進の協力、産業技術短期大学の就職状況や協会加盟企業の採用状況についての情報交換などが謳われ、連携を推進している。

高校との関係では、兵庫県高等学校教育研究会工業部会（兵庫県工業高校校長会）、大阪府工業高校校長会、和歌山県工業高校校長会と協定を締結し、校長会が推薦する学生の入学について協力を行っている。

他大学との関係では、東洋食品工業短期大学と2016（平成28）年に大学間連携協定を締結し、単位互換、教材開発、教員の派遣、教職員の研修、共同研究、施設設備の共同利用を内容とする教育研究の連携と地域社会への貢献が規定され、連携活動を実施している。

大阪大学工学部とは、2015（平成27）年に教育交流についての協定書を締結し、学生を特別聴講生としてインターンシップによる研究を行わせることができるものとし、これに基づき夏期休業中の本学学生（主に社会人学生）が大阪大学での研究インターンシップに参加している。受け入れ期間は２週間程度であるが、その間に大阪大学の指導に基づき、実験、研究を体験し、その後それらを整理したプレゼンテーション資料の作成、９月の報告会での発表というタイトなスケジュールであるが、大阪大学の協力により成果を挙げてきた。研究インターンシップは2017（平成29）年度から2019（令和元）年度まで実施されたが、2020（令和２）年度以降は新型コロナ感染症の影響で中止せざるを得なかった。

人材育成面での外部連携事業としては、夏期、春期休業中の学生インターンシップの地域企業での受け入れがあり、成果を挙げている。受け入れ期間は５日～10日、主に阪神地域での企業に受け入れていただいている。インターンシップに先立ち安全問題も含めたガイダンスを受講させ、受け入れ企業とは覚書を交わし、終了後は、学生の報告書及び受け入れ先からの報告書に基づき、単位認定（５日間では１単位、10日間では２単位）している。

大きな成果の挙がるインターンシップであるが、2020、2021年度は新型コロナ感染症の影響で中止せざるを得なかった。その後、2022年の春期休業では再開することができ、13名の学生が参加した（参加学生数推移は表４）。

表４　産業技術短期大学のインターンシップ参加学生数推移

2015年度		2016年度		2017年度		2018年度	
夏期	春期	夏期	春期	夏期	春期	夏期	春期
17	25	18	22	9	15	42	17
2019年度		2020年度		2021年度		2022年度	
夏期	春期	夏期	春期	夏期	春期	夏期	春期
26	17	0	0	0	13	7	—

出所：産業技術短期大学

その他、地域との交流を目指した外部連携事業としては、地域住民を対象とした公開講座の開催、新技術（ロボット技術、3D プリンター）をテーマにした企業向けのシンポジウム（関西サイエンスフォーラムと共催事業）の開催なども挙げられるが、これらイベントはその後の新型コロナ感染症の影響もあり、中断を余儀なくされている。

また外部連携事業ではないが、尼崎市、尼崎商工会議所、尼崎経営者協会、尼崎工業会、一般財団法人近畿高エネルギー加工技術研究所、尼崎工業高校の代表を委員とする外部有識者会議を定期的に開催し、外部からの意見を大学運営に取入れる努力を行っている。

このように産業技術短期大学と外部との連携事業は多様な形で行っているが、冒頭で紹介した地域との関係を強化する取組例と比べると十分ではなく、地域で必要とされる人材、特に今後の産業の発展に不可欠な技術系人材を育成教育し、地域から求められる役割を強化するためには、短期大学としての教育研究力の強化と併せ、地域との連携をさらに深め、活動を強化する必要があると考えている。

［注］

（１）「これからの時代の地域における大学の在り方について—地方の活性化と地域の中核となる大学の実現—（審議まとめ）」2021（令和３）年12月、中央教育審議会大学分科会。
https://www.mext.go.jp/content/20220112-mxt_koutou01-000019888-001.pdf（2022年12月１日閲覧）

（２） Science, Technology, Engineering, Arts and Mathematics の略

（３）「短期大学の今後の在り方について（審議まとめ）」2014（平成26）年８月６日、中央教育審議会大学分科会大学教育部会の短期大学ワーキンググループ。
https://www.mext.go.jp/component/b_menu/shingi/toushin/__icsFiles/afieldfile/2014/09/19/1351965_1.pdf（2022年12月１日閲覧）

［参考文献］

文部科学省（2022）「学校基本調査」

V 産業と教育の連携

能島 裕介
前尼崎市理事・尼崎市教育委員会教育次長
尼崎市理事・こども政策監 尼崎市教育委員会参与

はじめに

尼崎市は工業都市として発展する歴史のなかで、産業と教育は密接な関係を持ち、街の発展を支え続けてきた。その一方で、産業構造は急速な変容を遂げるとととともに、教育に求められる社会的な要請も変化してきた。

2018年に改訂された「学習指導要領」においては高校教育の中で、「総合的な探求の時間」が設けられ、生徒自身が主体的に学ぶ取組が強化されるに至った。変化の激しい社会の中では単に定められた事項を受け身的に学習するだけでは十分ではなく、社会のありようを主体的に観察し、思考し、様々な実践をしていくことが求められる。そのような学びにおいては、学校と地域や地元産業との連携は不可欠であり、その成否が学びの成否を左右するといっても過言ではない。

本稿においてはこれまでの産業と教育の関係を概観しつつ、社会の変容に目を向けながら、本市のあるべき教育について検討を深めていきたいと思う。

1 これまでの尼崎市における教育と産業の関わり

尼崎市は戦前から工業都市として発展し、戦後においても我が国の高度成長期を支えてきた。そのような歴史のなか、1934年には現在の尼崎市立尼崎双星高校の前身となる尼崎市立商業学校が開校し、1938年には兵庫県立尼崎工業高校の前身となる兵庫県立尼崎工業学校が開設されるなど、工業、商業などの専門学科を持つ学校が設置されてきた。その後も住友工業学校（後の尼崎市立尼崎産業高校、現在の尼崎市立尼崎双星高校）や住友工業高校の定時制課程が独立した尼崎市立尼崎工業高校（現在の尼崎市立琴ノ浦高校）、兵庫県立尼崎工業高校の定時制課程が独立した兵庫県立神崎工業高校などが設置された。

また、1962年には日本鉄鋼連盟の発起により現在の産業技術短期大学の前身となる関西鉄鋼短期大学が設立されるに至った。このような専門学科を有する高等学校や工学系の短期大学は、本市の産業人材を輩出し、その人材育成の重要な役割を担ってきた。それに加えて高度成長期において貴重な労働力であった中卒者が就労しながら高校教育を受けるための定時制高校も人材育成の役割を果たしてきた。

もっとも、時代の変遷とともに高校、大学等への進学率は向上していき、中学校卒業者の就職率は1952年に47.5％をピークに、高校卒業者の就職率は1961年の64.0％をピークに減少し続けている(1)。そのような卒業後の進路状況の変化にともなって、学校における進路指導なども変容するとともに、地域産業との関係性も変化していった。

図１　学校卒業後の就職率推移（全国）

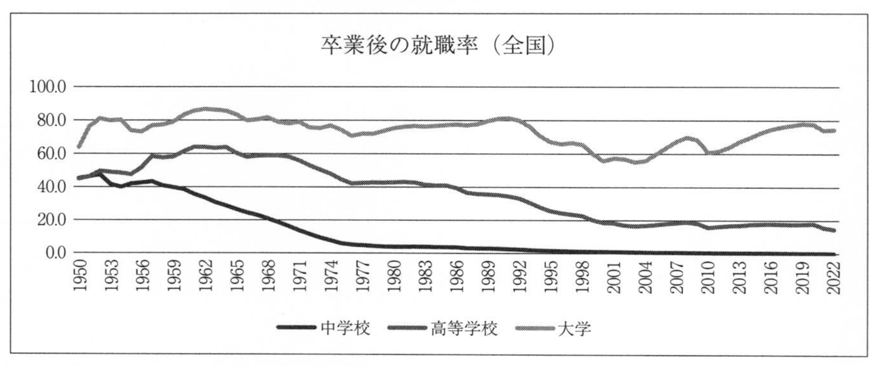

出所：文部科学省（2022）「学校基本調査」をもとに筆者作成

2 21世紀以降の社会的変化

(1) VUCAの時代

1990年代後半以降、パーソナルコンピュータの普及やインターネットの発展にともないIT革命とも呼ばれる急速な情報化社会への進展が引き起こされた。それによって従来の産業構造は大きく変化するとともに、不確実性の高い社会が誕生するに至った。VUCAの時代である。VUCAとはVolatility（変動性)、Uncertainty（不確実性)、Complexity（複雑性)、Ambiguity（曖昧性）の頭文字を取った言葉で、もともとは1990年代後半に軍事用語として使われ始めたものといわれている。従来の世界はある程度、安定的な成長を続けながら、その未来も一定程度、予測可能であったのに対して、ICT等のテクノロジーの急速な発展などによって、社会変化のスピードは格段に増してきている。

そのようななか、2013年、オックスフォード大学のマイケル・オズボーン准教授らは米国において10年から20年後には技術革新による自動化が進むことによりその労働人口の47%が機械に代替可能であることを試算し、702の職業についてその代替可能性について計算を行った(2)。同様に2015年、株式会社野村総合研究所はオズボーン准教授らと共同研究を実施し、国内601の職業について人工知能やロボットに代替される確率を試算し、10年から20年後には日本の労働人口の約49%の職業で代替可能であると計算した(3)。

上記の野村総合研究所による研究では、芸術、哲学などの抽象的な概念を取り扱う職業や他者とのコミュニケーションや理解が必要な職業については人工知能による代替が困難であるとされる一方で、データの分析や体系的操作が求められる職業については人工知能等で代替できる可能性が高いことが示された。

このように急速なICT技術やAI技術の発展は社会環境を大きく変容させ、生徒らへの職業教育や進路指導などにも大きな影響を与えることになる。

表1　人工知能やロボットによる代替可能性の高い職業・低い職業の一例

人口知能やロボット等による代替可能性の高い職業	人口知能やロボット等による代替可能性の低い職業
一般事務員 経理事務員 行政事務員 金属加工・金属製品検査工 自動車組立工 建設作業員 新聞配達員 路線バス運転手 タクシー運転手 駐車場管理人 ビル清掃員 警備員　など	小学校・中学校教員 学芸員 外科医・内科医・精神科医 理学療法士・言語聴覚士・作業療法士 美容師 幼稚園教員・保育士 アートディレクター 観光バスガイド ツアーコンダクター 報道カメラマン・報道記者 スポーツインストラクター ゲームクリエーター　など

出所：野村総合研究所（2015）「日本の労働人口の49%が人工知能やロボット等で代替可能に」より筆者が抜粋

（２）新しい学習指導要領

前述のように社会構造は大きく変容していく一方で、わが国の教育制度、特に学校教育は「学習指導要領」と呼ばれる文部科学省が告示した基準により、その教育内容等が大きく規定されている。学習指導要領はわが国全体の学校教育課程を規定することから、その制定にあたっても様々な議論が重ねられ、慎重に検討されていることから、大規模な改訂はおおよそ10年に１回の頻度で行われている。

その結果、急速に変容する社会情勢と学校教育との間には相当のタイムラグが生じることとなる。特に産業人を育成するための教育システムは予測可能な未来を前提とした旧来の教育課程を乗り越えることができておらず、社会の変化に即応していくことはその制度上、困難な部分も多い。そのような背景も踏まえつつ、2016年に国の中央教育審議会は「幼稚園、小学校、中学校、高等学校及び特別支援学校の学習指導要領等の改善及び必要な方策等について（答申）」を取りまとめた。この答申を踏まえ、文科省は2018年に「高等学校学習指導要領」を改定し、2022年４月から実施されることとなった。

2018年に改定され2022年から実施される高等学校学習指導要領においては、その考え方の中核に「社会に開かれた教育課程の実現」が置かれ、教育の目的、内容、手法などが再検討された。

この新しい学習指導要領の改訂によって、従来から高等学校で行われてきた「総合的な学習の時間」は「総合的な探求の時間」に変更されることとなった。「総合的な学習の時間」は、小学校・中学校では2002年(4)から、高等学校では2003年から実施されてきたもので、「横断的・総合的な学習や探究的な学習を通して、自ら課題を見付け、自ら学び、自ら考え、主体的に判断し、よりよく問題を解決する資質や能力を育成する」(5)ことを目的に設定された時間である。

図２　学習指導要領改訂の考え方

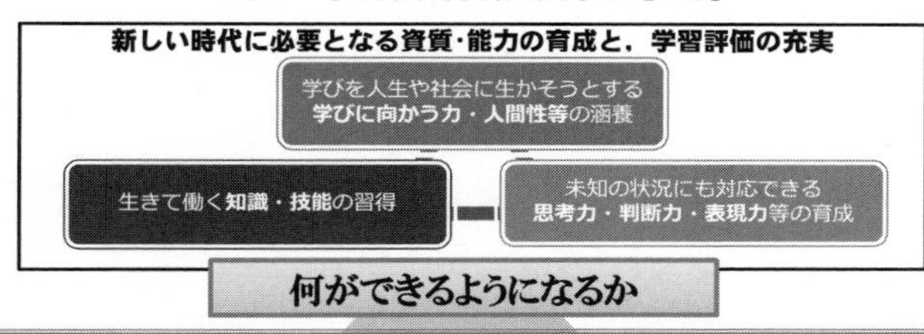

出所：文部科学省（2020）「新学習指導要領の全面実施と学習評価の改善について」
https://www.mext.go.jp/content/20201023_mxt_sigakugy_1420538_00002_004.pdf　2022年12月10日閲覧

それに対して2018年告示の「高等学校学習指導要領」では、①これまで以上に各教科・科目等の相互の関わりを意識しながら学校全体でカリキュラムマネジメントが行われるようにすること、②高等学校において小中学校の取組の成果を踏まえた実践を十分に展開していくこと、③小中学校における総合的な学習の時間を活かしつつ、より探求的な活動を展開すること(6)、などを目的に新たに「総合的な探求の時間」が設けられることとなった。

(3) 尼崎市教育振興基本計画

文部科学省において2017年から2019年にかけてそれぞれ幼稚園、小学校、中学校、高等学校の学習指導要領が改訂され、告示されてきたが、尼崎市では2020年3月に本市の教育行政の大きな指針となる「尼崎市教育振興基本計画」を定めた。そのなかでは子どもたちが未来の社会の作り手であることを踏まえ、「教育は未来への先行投資」という認識を示し、教育の基本指針として次の3つを示した。1つ目は「未来志向の教育」であり、データやエビデンスに基づく学力や非認知能力の向上、学校現場のICT環境整備などによる未来を見据えた教育のあり方を示している。2点目は「子の尊厳や人権の尊重」として、子ども一人ひとりの人権が尊重されることや多様性を受容する子どもの育成、インクルーシブ教育の推進などが示されている。そして3点目には「家庭・地域社会との連携」として、子どもが学校だけではなく地域社会の中で育つことができるための地域学校協働活動や家庭、地域社会と連携した教育の方向性を示している。それらの基本方針に加えて、教育を通じて目指すべき人間像として「目標や希望を持ち、生涯を意欲的に生き抜くことができる人」「人の気持ちや立場を尊重し、互いに協働・協力できる人」「多様な他者と協働して主体的に地域社会に関わる人」の3つを掲げている。

この教育基本計画の中で本稿のテーマである産業との関わりについては「高等学校教育」のパートにおいて、「普通科、体育科、ものづくり機械科、電気情報科、商業学科それぞれの特徴を踏まえた、高等学校教育の一層の充実」「自分で考え、判断し、表現し、実際の社会で役立てる力を育むため、民間企業等と連携した課題解決型学習を実施」「市立の高等学校として、より一層地域社会と連携したカリキュラムの推進や、地域社会を担う人材の創出を目指した取組の推進」などの記載はあるものの、具体的な取組については記載されていない。

今後、本市においてはこの基本計画の方向性を踏まえながら、地域産業と連携した取組を具体的にどのように行っていくかがとわれている。

3　新しい教育の実践

先述のように社会環境が大きく変容する中で、各地でも様々な先進的な教育の取組が行われてきている。特に2014年に安倍内閣が示した地方創生の動きは、それぞれの地域での取組を加速させる効果を持ったが、教育と連携した地方創生の取組もいくつか生まれてきた。

○島根県立隠岐島前高校の事例(7)

島根県隠岐にある島根県立隠岐島前高校が新入生の減少による廃校の危機を迎える中、2008年から島内の事業者などと連携し、「島前高校魅力化プロジェクト」を開始し、全国から入学者を募集する「島留学」、地域住民が島留学生の支援を行う「島親制度」の創設、島内事業者などと連携した課題解決学習の構築などにより、生徒数が倍以上に増加するとともに、高校が所在する海士町の人口も増加するに至った。

○福井県立科学技術高校の事例(8)

2020年から文部科学省「地域との協働による高等学校教育改革推進事業」の採択を受け、学校、地元行政機関、企業等とコンソーシアムを組成し、学校設定科目として２年生全員が履修する「産業技術探求」の科目を設け、地元企業経営者による講演や地元企業での10日間にわたるインターンシップ、企業と協働した商品開発などを行う。それらの活動を地域や小中学校に発信することにより、新たな人材確保にもつなげることを目指している。

○神山まるごと高等専門学校の事例[9]

Sansan 株式会社代表取締役社長の寺田親弘氏らが発起人となり2023年４月に徳島県神山町で開校を予定する高等専門学校。「テクノロジー×デザインで人間の未来を変える学校」をコンセプトに、１学年40人の全寮制でテクノロジー、デザイン、アントレプレナーシップなどの教育を行うことを計画している。

4　これからの尼崎の教育に求められること

これから尼崎市においてはVUCAの時代と呼ばれる不確実性の高い社会を生き抜くことができるよう児童生徒らの教育活動を行うとともに、地元産業にも有為な人材を輩出し、市の産業の発展に寄与していくことが求められる。

それらのことを踏まえると教育と産業との連携の文脈のなかでは、次のような取組が重要であるように思われる。

○産業界と連携した本格的な教育実践プログラムの展開

これまで尼崎市においては、中学校２年時にトライやる・ウィークと呼ばれる連続５日間の就業体験プログラムや市立高校などにおける企業との連携授業などを行ってきたが、それらをさらに本格的なプログラムに発展させることも考えられる。特に市立高校においては工業や商業などの専門学科を有することから、これらの学科と地元産業界が連携した授業科目の設定などが想定される。そのような地元企業と連携したプログラムの実施は、地元企業への就職を促進する効果もあるものと考えられる[10]。

○職業教育・キャリア教育からアントレプレナーシップ教育への転換

2011年の中央教育審議会答申「今後の学校におけるキャリア教育・職業教育の在り方について」[11]では、職業教育（一定又は特定の職業に従事するために必要な知識、技能、能力や態度を育てる教育）やキャリア教育（一人一人の社会的・職業的自立に向け、必要な基盤となる能力や態度を育てることを通して、キャリア[12]発達を促す教育）の重要性が指摘され、学校教育においても職業教育・キャリア教育の充実に努めてきたが、2011年当時と比べてもさらに社会の変容は加速するなか、自らが主体的に新たな価値を生み出す能力などを育成するアントレプレナーシップ教育[13]がさらに重要なものになると思われる。

終わりに

尼崎市は戦前から高度成長期にいたるまで工業都市として著しい発展を遂げ、学校においても地域産業の発展に寄与する人材の輩出のため様々な取組を行ってきた。特に工業、商業などの専門学科を有する高等学校は企業で即戦力となる人材を育成し続けてきた。

その一方で我が国の産業構造は大きく変容し、1990年代後半以降のIT革命はさらに社会の変容を加速させるに至った。その結果、社会の不確実性は拡大し、学校における職業教育、キャリア教育もその前提から見直さなければならない状況となっている。

そのような環境下にあって、産業界と連携した教育の実践は、以前よりもさらに重要性を増しているといえる。地元産業界においては、慢性的な人材不足や後継者不足に悩み、教育界に対して地元の産業を支えうる人材の輩出を強く求めている。それに対して、教育界も既存の学校内での教科学習だけでは急速に変化する社会の中で生き抜くことのできる子どもを育てることは困難であり、地域の企業や市民と連携した教育活動を展開していくことを模索している。

それらを踏まえると地元産業と教育との連携は必要不可欠であるとともに、双方のニーズに沿うものであるといえる。一方で、学校においては地域連携について十分な経験や知識などもないことから、産業と教育を結びつけるコーディネーターのような役割を担う人材が必要であるといわれる。加えて、学校単体での取組としてではなく街全体として産業と教育の連携を大きく描くグランドデザインも求められるだろう。

いずれにせよ教育と産業のさらなる連携を行うことが、強く求められる。

[注]

（1） 文部科学省（2022）「学校基本調査」E-stat、https://www.e-stat.go.jp/stat-search/files?page=1&toukei=00400001&tstat=000001011528（2022年12月13日閲覧）

（2） Carl, Benedikt. Frey., & Michael, A. Osborne,（2013）「The Future of Employment : How Susceptible are jobs to computerization?」https://www.oxfordmartin.ox.ac.uk/downloads/academic/The_Future_of_Employment.pdf（2022年12月13日閲覧）

（3） 株式会社野村総合研究所（2015）「日本の労働人口の49％が人工知能やロボット等で代替可能に」、https://www.nri.com/-/media/Corporate/jp/Files/PDF/news/newsrelease/cc/2015/151202_1.pdf（2022年12月13日閲覧）

（4） 先行的に2000年から実施されてきた小中学校も存在する。

（5） 文部科学省（2008）『中学校学習指導要領』、文部科学省。

（6） 文部科学省（2018）『高等学校学習指導要領（平成30年告示）解説　総合的な探求の時間編』、文部科学省。

（7） 文部科学省（2019）「高等学校と地域との協働について」、https://www.soumu.go.jp/main_content/000638149.pdf（2022年12月13日閲覧）

（8） 文部科学省「令和２年度「地域との協働による高等学校教育改革推進事業」指定校の取組について」、https://www.mext.go.jp/a_menu/shotou/kaikaku/1415089_00001.htm（2022年12月13日閲覧）

（9） 神山まるごと高専「学校概要」、https://kamiyama.ac.jp/guidance/about/（2022年12月13日閲覧）

（10） 労働政策研究・研修機構（2016）「UIJ ターンの促進・支援と地方の活性化――若年期の地域移動に関する調査結果」JILPT 調査シリーズ No.152、https://www.jil.go.jp/institute/research/2016/documents/152.pdf（2022年12月13日閲覧）

（11） 中央教育審議会（2011）「中央教育審議会答申　今後の学校におけるキャリア教育・職業教育の在り方について」、文部科学省。

（12） 中央教育審議会（2011）では「キャリア」を「人が、生涯の中で様々な役割を果たす過程で、自らの役割の価値や自分と役割との関係を見出していく連なりや積み重ね」と定義している。

（13） 文部科学省が委託して実施した「持続的・発展的なアントレプレナーシップ教育の実現に向けた教育ネットワークや基盤的教育プログラム等のプラットフォーム形成に係る調査・分析」においてはアントレプレナーシップ教育を「起業に限らず新事業創出や社会課題解決等、新たな価値を生み出す発想・能力等（アントレプレナーシップ・起業家精神）を身に着けるたけの教育」と定義づけている。

Ⅵ 中小企業における新卒者採用の成否を分ける決め手とは
――尼崎市労働環境実態調査の分析より――

三宮 直樹
公益財団法人 尼崎地域産業活性化機構 常務理事兼事務局長

1 はじめに

本稿の目的は、尼崎市内の事業所における新卒者採用の規定要因を明らかにするとともに、地域経済を支える中小企業の採用力の向上、ひいては人材確保につながる政策的インプリケーションを示すことである。

近年、我が国は、少子高齢化の急速な進展により、生産年齢人口が減少し、必要な人材、特に若年層の確保が困難となることが懸念される状況にある。

2022年12月の日銀短観における雇用人員DIをみると、新型コロナウイルス感染症が拡大した影響により、一時的にプラスに振れたものの、次第に感染拡大前の水準に戻りつつある。企業の規模別にみると、大企業（資本金10億円以上）ではマイナス21であるのに対し、中堅企業（資本金１億円以上10億円未満）ではマイナス30、中小企業（資本金２千万以上１億円未満）ではマイナス34となっており、規模の小さい企業ほど労働力の確保が厳しい状況にあり、人手不足感が高まっている[(1)]。

労働力不足が長期化している状況は、尼崎市においても全国と同様の傾向となっており、感染拡大に一定の収束がみられる2021年以降、全産業において労働力不足が深刻化している。業種別では、製造業よりも非製造業（建設業・卸売業・小売業・サービス業）において、労働力が逼迫している状況にある[(2)]。

このように、景気の回復に伴い、労働需給が逼迫しつつある中、規模の小さな中小企業における人手不足感が強まっており、中小企業における人材確保、特に新卒者の採用拡大は、事業の持続可能性を高める上で経営上の意義は大きい。社会経済環境の変化やIT化の進展により日本型雇用慣行や就活プロセスが激変する中、企業はそれらに迅速に対応していく必要がある。

しかしながら、中小企業において新卒者採用が出来ている企業とそうでない企業では、具体的に何がどのように異なるのかについて、定量的な研究実績は乏しい。労働需給が逼迫する中、新卒者採用の規定要因を解明することは、地域社会の当事者であり、かつ地域経済の重要な担い手である中小企業の持続可能性を高めるうえで喫緊の課題である。

本稿の構成は、次の通りである。第2節では、我が国の中小企業における雇用環境に関する先行研究をまとめた上で、新卒者採用にはどのような要因が影響を与えるのかについて、仮説を構築する。第3節では、尼崎市労働環境実態調査（令和3年度）(3)の個票データを二次分析し、新卒者採用の規定要因を抽出するとともに、その規定要因と新卒者採用との関係について、実態との適合性を確認する。第4節では、統計解析の分析結果を考察し、第5節では、若干の政策的インプリケーションと今後の課題について述べる。

2　中小企業における雇用環境に関する先行研究および仮説

少子高齢化が進展する中、就職希望者の絶対数の減少は避けることはできない。したがって、労働力を最大限活用することが求められ、特に新卒者採用における雇用のミスマッチを極力減らすことが重要な課題である。

従業員規模別に大卒予定者の求人数および就職希望者数の推移を確認すると、従業員300人以上の企業においては求人数と就職希望者数がそれほど乖離することがなく、求人倍率は1倍前後となる状況が継続している。一方、従業員数300人未満の企業においては、依然として求人倍率が高く、規模の小さな企業における新卒者採用は非常に困難な状況となっている（リクルートワークス研究所、2022）。学生の安定志向・大企業志向が続いており、景気拡大期には大企業と中小企業との格差が大きくなる傾向にある。労働力人口の減少により、新卒者の確保が難しくなっている中、大企業に比べて給与・待遇面に関して劣る傾向にある中小企業においては、人材の確保のための取り組みの必要性が高まっている。

では、就職に際して、新卒者の意思決定にはどのような要因が影響を与えているのだろうか。Derek S. Chapman et al.（2005）は、意思決定への影響因子として、①職場環境や人間関係等の「組織の特性」、②給与や待遇等の「仕事の特性」、③採用担当者の個性や信頼度等の「採用担当者の特性」、④採用手続きやその方法等の「採用プロセス」、⑤応募者が感じる組織や仕事との「フィット感」、といった視座から71の実証研究をメタ分析し、何が優秀な応募者を引きつけるかを検証している。我が国において新卒者採用に影響を与える要因については、後述するように、志甫（2006）、山本（2017）などが、これらの視座のうち「組織の特性」・「仕事の特性」・「採用プロセス」に相当する「従業員属性」・「労働条件」・「採用手段」に着目した研究を行っている。そこで、本節ではこれらの先行研究を踏まえ、分析のフレームワークを「従業員属性」・「労働条件」・「採用手段」とした上で、企業における新卒者採用行動に与える要因に関する仮説を提示する。

（1）従業員属性

従業員の性別や年齢、雇用形態などの属性は、新卒者採用に影響を与えるのだろうか。志甫（2006）は、西宮市労働実態基本調査における新卒者採用の規定要因の分析結果から、女性の雇用割合が高い事業所ほど新卒者を採用していることを明らかにしている。

また、志甫（2006）は、上述の分析結果において、パート従業員や派遣労働者など非正規雇用が多い事業所ほど新卒者採用が少ないことを報告している。

非正規雇用の採用理由に関しては、労働政策研究・研修機構（2014）の調査によると、すべての非正規雇用形態（パート・アルバイト、契約社員、派遣社員）において、非正規雇用の採用理由として「正社員を増員できないから」を挙げる企業の割合が高い。この点について、江口（2018）は、増員できない正社員の代替採用ニーズが強いことを指摘した上で、中小企業は新卒者採用が大企業より困難であり、非正規雇用の量的・質的両面における基幹化指向が続いていると述べている。

日本政策金融公庫総合研究所（2015）の調査によると、中小企業就職者が就職時に重視した要素として「通勤時間の短さ」が最も高く、この点について、大企業就職者との乖離が大きいことが示されている。このことから、中小企業の働き手の地元重視という姿勢が新卒者採用に影響し、近隣居住の従業員の割合が高くなる可能性がある。同時に、新卒者採用が困難でパートやアルバイトを補完的に雇用する場合、一般的に近隣からの応募が多くなるため、近隣居住の従業員の割合を押し上げる場合もあると考えられる。

次に、組織における若年従業員の存在意義について注目する。
労働政策研究・研修機構（2014）の調査によると、若年者の定着率と業績には密接な関連があり、定着率が高くなるほど増益傾向にあるとし、定着率が50%以上の企業では若年従業員の割合が増加したことによって、職場に活気が生まれ、従業員のモチベーションが向上するなど若年者の定着は企業にとって大きな利益をもたらすことが示されている。

このように、若年者の定着率が高い企業は、人材育成プログラムの充実をはじめ適切な労働環境の整備に積極的に取り組んでいることが想定され、こうした企業は、若年求職者からみても魅力ある職場であるため、新卒者採用を優位に進めることが可能になると考えられる。

以上の議論から、従業員属性は新卒者採用と密接な関係があることが想定され、以下の仮説が導出される。

仮説１：従業員属性は、新卒者採用に影響を与える。

（２）労働条件

雇用される側が就職に際し重視する労働条件とは、どのような点であろうか。日本政策金融公庫総合研究所（2018）では、中小企業に勤務する従業員へのアンケート調査において、現在の勤務先に就職する際に重視した点（複数回答）を尋ねたところ、「正社員として採用される」が１位、次いで「希望に合った業種」であり、休暇取得や勤務時間、キャリア形成に関する項目を重視したとの回答は、比較的少ないことを報告している。

一方、視点を雇用する企業側に転じてみるとどうであろうか。労働経済動向調査（2019）によると、現在労働者が不足していて、かつ、過去１年間に何らかの労働者不足の「対処をした」事業所の割合は70％であり、その対処法としては「正社員等採用・正社員以外から正社員への登用の増加」の割合が最も多い。注目に値する点は、前回（2018年８月）調査と比べて上昇幅が最も大きかったのが、「在職者の労働条件の改善（賃金以外：休暇の取得促進、所定労働時間の削減、育児支援や復帰支援の制度の充実など）」で、次いで「在職者の労働条件の改善（賃金）」であったことである。したがって、正社員の採用を増やしたり、非正規社員の正社員化を図った上でも労働力不足の解消が難しい中で、企業は労働条件の改善の取り組みを促進していると言える。

このように、新卒者側は労働条件の良さを就職の理由の上位には挙げていないものの、労働力不足が深刻化する中、新卒者採用ができている企業は、他の企業よりも労働条件の改善を重視している可能性がある。これらの議論から、以下の仮説が導出される。

仮説２：労働条件は、新卒者採用に影響を与える。

（３）採用手段

企業は新卒者の採用において、どのような採用手段を用いているのであろうか。

中小企業白書（2015）によると、中小企業が利用している新卒者採用の手段としては、「ハローワーク」の利用率が28.4％と最も高く、次いで「教育機関の紹介」、「知人・友人の紹介（親族を含む）」となっている[(4)]。採用手段ごとの採用実現率をみると、「教育機関の紹介」、「知人・友人の紹介」や「取引先・銀行の紹介」が高い実現率を示している。このように、中小企業においては人材確保が経営上の喫緊の課題となっている中、主な採用手段としてハローワークや教育機関、親族等の紹介といった旧来の採用方法に頼っている事業所が多数存在していると考えられる。

こうした中小企業におけるハローワークの利用について、伊藤（2014）は、ハローワークは、一般事務のような職種のマッチング率は高いが、専門・技術職のような基幹的人材のマッチング率は低いことを指摘した上で、多くの中小企業が人材の確保に苦慮していることには、ハローワークへの過度な依存が影響している、と述べている。中小企業がハローワークに依存する理由として、山本（2017）は、中小企業へのヒアリング調査を通して、採用ブランド力の低さや採用ノウハウの不足、就職サイトの費用などを指摘している。

中小企業白書（2015）では、人材採用に関して「適切な採用手段の利用、人材の組織的な採用、企業の情報発信に関して、企業規模に応じた能力差が存在する」ことを指摘しており、人材採用に成功している企業の特徴として、就業環境や仕事のやりがいに加えて、採用のノウハウや手段等に強みがある、と述べている。

このような中、新型コロナウイルスの感染拡大を契機として採用活動のオンライン化が急速に進み、東京商工会議所（2021）の調査によれば、大企業の90％（51社中46社）、中小企業の49％（131社中64社）が「採用活動をオンライン化した」と回答している。オンライン化した内容については、「会社説明会」が最多で、大企業・中小企業ともに９割を超えており、オンライン化のメリットとして、会社説明会への参加者増加や、地方学生との接点となることなどが挙げられている。当該調査では、オンライン採用の導入と採用率との関係については分析されていないものの、オンライン採用の導入は、一定の効果を有することが推察される。沖（2021）は、採用活動のオンライン化に取り組んだ徳島県内の中小企業に対してヒアリング調査を行い、志望度の見極めが困難である等のデメリットもあるものの、県外学生からのエントリー数の増加や説明会参加者の著しい増加等のメリットがあったことを報告している。

これらの議論から、新卒者採用に取り組む中小企業が、採用のデジタル化を進めていることが想定され、以下の仮説が導出される。

仮説３：オンライン採用の実施は、新卒者採用に影響を与える。

3　新卒者採用の規定要因分析

（1）データの基本的属性

本節の分析には、「尼崎市労働環境実態調査（令和３年度）」の個票データを用いる。はじめに、新卒者採用の規定要因分析により、仮説探索的研究を行う。次に、個票データを層別化した上で、抽出した規定要因と新卒者採用との関係について得られた仮説を検証する。

当該調査は、総務省「事業所母集団データベース」の事業所名簿をもとに、尼崎市内の従業員数30人以上のすべての民営事業所1,080事業所を対象として、令和３年９月に実施されたものである。有効配布数は1,070件、有効回収数は334件（有効回収率31.2%）である。

①　新卒者（正規従業員）の過不足感

表１に示すように、現在の正規従業員の過不足について、「新卒者が不足している」と回答した事業所は334社のうち71社（21.2%）である。令和２年度新卒者採用実績を比較すると、「新卒者が不足している」と回答した事業所では、54.7%、それ以外を回答した事業所では、45.4%の事業所が「令和２年度新卒者採用実績あり」と回答しており、その差は、9.3ポイントの開きがある。一方、令和３年度新卒者採用予定を比較すると、「新卒者が不足している」事業所では80.3%、それ以外を回答した事業所では、48.6%であり、その差は、31.7ポイントの開きに上る。このことから、新卒者不足感を抱える事業所における翌年度の新卒者採用への強い意欲や期待感が読み取れるとともに、新卒者採用が経営上の課題となっていることが示唆される。

②　従業員規模別の新卒者採用の有無と新卒者不足感の関係

ここでは、新卒者採用の有無と新卒者不足感との関係について、従業員規模別に比較検証を行う。まず、新卒者採用の有無を事業所の従業員規模別に比較すると、図1に示すように、従業員数が多い事業所ほど新卒者が採用できている。一方、「正規従業員の過不足について」において「新卒者が不足している」と回答した事業所の割合を従業員規模別に見ると、従業員数50人から99人および100人から299人の層において、他の層よりも高い値が示されている。したがって、新卒者採用が予定通りできておらず新卒者不足感を抱えているのは、従業員数50人から299人の規模の事業所であると言える。

表1　現在の正規従業員（新卒者）の過不足感

R3現在の過不足感		R2新卒者採用実績			R3新卒者採用予定		
		あり	なし	無回答	あり	なし	無回答
新卒者不足※1	71	35 54.7%	29 45.3%	7 —	57 80.3%	14 19.7%	0 —
新卒者不足以外※2	255	99 45.4%	119 54.6%	37 —	119 48.6%	126 51.4%	10 —

出所：筆者作成
※1　「3．不足している（新卒者）」と回答した事業所の合計
※2　「1．過剰である」「2．ちょうどよい」「4．不足している（既卒者・通年採用で、貴社の業界の経験あり）」「5．不足している（既卒者・通年採用で、貴社の業界の経験なし）」のいずれかに回答した事業所の合計

図1　新卒者採用と新卒者不足感の関係

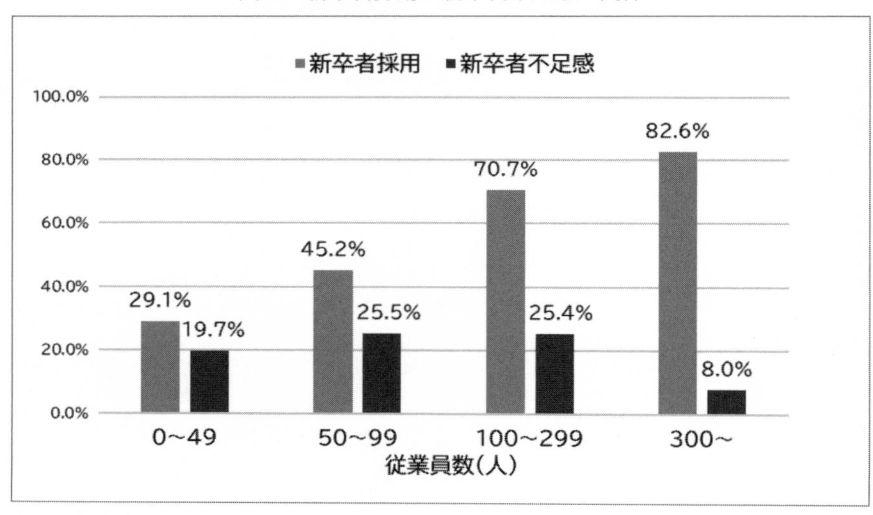

出所：筆者作成

（2）変数

令和２年度新卒者（令和３年春採用）採用実績の有無を表すダミー変数を被説明変数とした二項ロジスティック回帰分析を行う。少子高齢化の進展を背景として若年層人口の縮小が進展し、企業の人手不足感が高まる中、どのような企業が新卒者を採用できているのかを明らかにすることを試みる。統計学的に有意な要因と、その影響の大きさを確認することが、この分析の目的である。

本分析では、得られたデータのうち欠損値を含むサンプルを除いた188件を使用し、表２に示した変数を用いて、どのような属性を有する事業所において、新卒者を採用できている傾向が見られるのかを検討した。

個々の変数の定義は、以下の通りである。

表２　変数の概要

変　数	度数	平　均	不偏分散	標準偏差	最小値	最大値
建設業ダミー	188	0.027	—	—	0	1
運輸郵便ダミー	188	0.112	—	—	0	1
卸小売ダミー	188	0.090	—	—	0	1
宿泊飲食ダミー	188	0.005	—	—	0	1
医療福祉ダミー	188	0.309	—	—	0	1
サービスダミー	188	0.186	—	—	0	1
全従業員数	188	152.70	83449.22	288.88	3	2366
女性従業員割合	188	44.12	972.42	31.18	0.0	100.0
非正規従業員割合	188	31.24	793.05	28.16	0.0	96.2
市内居住の従業員割合	188	3.330	1.399	1.183	1	5
若年従業員割合	188	2.846	0.944	0.972	1	5
所定内労働時間	188	2.862	0.729	0.854	1	5
所定外労働時間	188	2.090	1.206	1.098	1	5
週休２日ダミー	188	0.298	—	—	0	1
年次有給休暇の取得日数	188	2.585	0.554	0.744	1	4
ベースアップありダミー	188	0.644	—	—	0	1
賞与ありダミー	188	0.957	—	—	0	1
オンライン採用現在利用ダミー	188	0.383	—	—	0	1
新卒者採用ダミー（R２実績）	188	0.559	—	—	0	1

出所：筆者作成

①　業種ダミーおよび全従業員数

先行研究から、景気の動向は、業種によって異なり、新卒者の採用動向もそれによって異なることが予想されるため、統制変数として「業種ダミー（レファレンス：製造業)」を用いた。また、事業所の規模が大きいほど、新卒者の志望度が高く、採用しやすくなることが想定されるため、統制変数として「全従業員数」を用いた。

②　従業員属性

女性の雇用割合が新卒者採用に正の影響を与える一方で、非正規割合が負の影響を与えることが想定される。また、近隣居住の従業員の割合や若年従業員（39歳以下）の割合の多さも、新卒者採用と密接な関係があることが考えられる。したがって、仮説１を検証するために、事業所の全従業員数に占める「女性従業員割合」、「非正規雇用者割合」、「市内居住の従業員割合」、「若年（39歳以下）従業員割合」を用いた。

③　労働条件

働き方改革が進み、ワークライフバランスへの関心が高まる中、労働条件が新卒者採用に与える影響を確認する必要がある。したがって、仮説２を検証するため、以下の項目を説明変数に用いる。

労働時間については、「所定内労働時間」および「所定外労働時間」が新卒者の採用に影響するのかどうかを把握するため、説明変数に加えた。

休日については、完全週休２日制であることを説明変数とし、完全週休２日制であることが、事業所の新卒者の採用に影響するのかを把握する。そこで、「週休制について」において、「完全週休２日制」と回答した事業所を１、それ以外を０としたダミー変数を作成した。

休暇については、年次有給休暇の取得日数が新卒者の採用に影響するのかどうかを把握するため、「年次有給休暇の取得日数」を用いた。

報酬については、ベースアップが行われたかどうかを説明変数とし、ベースアップの有無が、事業所の新卒者の採用に影響するのかを把握するため、「過去３年以内のベースアップの有無」において、「あり」と回答した事業所を１、それ以外を０としたダミー変数を作成した。

賞与については、「賞与の有無」において、「あり」と回答した事業所を１、それ以外を０としたダミー変数を作成した。

④　オンライン採用現在利用ダミー

コロナ禍で社会のデジタル化が急速に進展し、企業の採用活動および新卒者の就職活動においても、オンラインで実施される割合が増加していることが想定される。

そこで、仮説３を検証するために、オンライン採用活動を現在実施しているかどうかを説明変数とし、オンライン採用活動の有無が、新卒者の採用に影響するのかを把握する。「オンラインを利用した採用活動についての今後の意向」において、「現在オンラインを利用していて、今後もオンラインでの活動を継続・拡大したい」または「現在オンラインを利用しているが、今後はオンラインでの活動を縮小したい」と回答した事業所を１、それ以外を０としたダミー変数を作成した。

（３）分析方法

業種と従業員数を統制変数とした上で、表２に示した変数を用いて二項ロジスティック回帰分析を行い、事業所の新卒者採用に影響を及ぼす規定要因の寄与順位を検討した。オッズ比が１であれば全く影響がなく、１より大きい値あるいは１より小さい値を示すほど、その要因は新卒者採用との関連が強いと考えられる。使用した統計ソフトは「エクセル統計 ver.4. 02」（株式会社社会情報サービス製）であり、欠損値がある場合はそのデータを除いて分析を行った。変数の選択においては、恣意性を極力排除するために変数増減法（投入および除去基準 p 値＝0. 200）を採用した。なお、線形結合している変数はなかった。

（４）分析結果

新卒者採用の有無を規定要因とした二項ロジスティック回帰分析の結果を表３に示す（統計学的に有意であるとして選択された変数にアミ掛けをしている）。

まず、統制変数である業種に関しては、運輸・郵便業の新卒者採用確率が製造業による採用と比べて有意に低かった。従業員数に関しては、全従業員数のオッズ比は1. 007であり、従業員数が必ずしも新卒者採用の規定要因とはなっていないことが示された。

また、従業員の属性に関しては、若年従業員の割合のみが、新卒者採用に対し正の影響を与えており、仮説１は一部支持された。労働条件については統計的に有意な説明変数は抽出されず、仮説２は支持されなかった。さらに、採用手段については、オンライン採用は新卒者採用に対し正の影響を与え、仮説３は支持された。そのオッズ比は2. 957であり、検討した変数の中で、オンライン採用の導入の有無が新卒者採用の最も大きな規定要因となっていることが明らかになった。

表3　新卒者採用の規定要因

	偏回帰係数の95%信頼区間				オッズ比の95%信頼区間		偏回帰係数の有意性検定	
変　数	偏回帰係数	下限値	上限値	オッズ比	下限値	上限値	Wald	P　値
運輸郵便ダミー	−1.136	−2.328	0.056	0.321	0.097	1.057	3.492	0.062†
全従業員数	0.007	0.002	0.012	1.007	1.002	1.012	7.779	0.005**
非正規従業員割合	−0.010	−0.024	0.004	0.990	0.976	1.004	2.098	0.148
市内居住の従業員割合	−0.262	−0.617	0.094	0.770	0.539	1.099	2.076	0.150
若年従業員割合	0.446	0.076	0.815	1.562	1.079	2.260	5.595	0.018*
年次有給休暇の取得日数	0.352	−0.136	0.839	1.422	0.873	2.314	2.002	0.157
オンライン採用現在利用ダミー	1.084	0.312	1.856	2.957	1.366	6.400	7.570	0.006**
定数項	−1.672	−3.643	0.298	0.188	0.026	1.347	2.767	0.096
−2対数尤度	190.0447							
R2乗	0.2635							
Nagelkerke	0.4065							
尤度比	67.9983							
P　値	P＜0.001***							

†：P＜0.1　＊：P＜0.05　＊＊：P＜0.01　＊＊＊：P＜0.001
出所：筆者作成

（5）従業員規模別にみた規定要因と新卒者採用の関係

前節の結果から得られた新卒者採用の規定要因が、実際に新卒者採用に影響を及ぼしているのかどうかを、記述統計によって確認する。

表4は、従業員規模別に、それぞれの事業所のオンライン採用利用率と、新卒者採用率をクロス集計したものである。オンライン採用利用率は、従業員規模が大きくなるほど、高くなる傾向にある。また、新卒者採用率も、従業員規模が大きくなるほど高くなる傾向にある。

しかしながら、新卒者採用率をオンライン採用利用の有無で区分してみると、従業員数が50人から99人の規模の事業所および従業員数100人から299人の事業所においては、オンライン採用を利用していない群に比べて利用している群のほうが、新卒者採用率が約2.1倍高くなっている。したがって、従業員数

表4　オンライン採用利用の有無と新卒者採用率（従業員規模別）

従業員数（人）			新卒者採用の有無				新卒者採用率	オンライン採用の利用ありと利用なしの新卒者採用率の比	フィッシャーの直接確率検定P値
			あり	なし	無回答	合計			
0～49	オンライン採用利用の有無	あり	10	13	0	23	43.5%	1.6倍	0.1931
		なし	17	45	1	63	27.4%		
		無回答	5	20	26	51			
		合計	32	78	27	137			
50～99	オンライン採用利用の有無	あり	23	6	1	30	79.3%	2.1倍	P＜0.001
		なし	19	32	2	53	37.3%		
		無回答	0	13	11	24			
		合計	42	51	14	107			
100～299	オンライン採用利用の有無	あり	27	1	0	28	96.4%	2.1倍	P＜0.001
		なし	12	14	1	27	46.2%		
		無回答	2	2	4	8			
		合計	41	17	5	63			
300～	オンライン採用利用の有無	あり	9	1	0	10	90.0%	1.0倍	1.000
		なし	9	1	1	11	90.0%		
		無回答	1	2	1	4			
		合計	19	4	2	25			

出所：筆者作成

が300人以上というある程度規模の大きい企業や、逆に従業員数50人未満の規模の小さい企業では、オンライン採用導入の有無による新卒者採用の差異はそれほど大きくないが、その中間的な規模の企業においては、オンライン採用の導入の有無が新卒者採用に与える影響は非常に大きく、オンライン採用の導入が新卒者採用率を高める有効な手段のひとつになり得ると結論づけられる。

4　考察

本稿では、尼崎市内の事業所レベルの個票データを用いて、新卒者採用の規定要因の分析を試みた。二項ロジスティック回帰分析の有用性は、目的を達成するための要因が複数存在するとき、どの要因がより効果を与えるのかを定量的に比較して、統計的な検定によって優先順位を付けられることにある。分析の結果、オンライン採用を導入することで新卒者を採用できる確率が高まり、その効果は本稿で用いた変数の中で最も高いことが明らかになった。

実際には、オンライン採用の導入以外にも多数の条件が影響を与えるため、オンライン採用の導入のみの影響は弱まると考えられるものの、クロス集計の結果、従業員数50人から299人の事業所においては、オンライン採用を利用している事業所のほうが、導入していない事業所に比べ、新卒者の採用率がおよそ2倍に増加していることが確認された。なお、従業員300人以上の事業所においては、オンライン採用利用の有無による新卒者採用率の差は見られなかった。

従業員数に関しては、全従業員数のオッズ比は1.007であり、従業員数が必ずしも新卒者採用の規定要因とはなっていなかった点については、志甫（2006）が、新卒者採用の規定要因において従業員数のオッズ比が1.001であったという分析結果を報告しており、これを支持する結果となった。

業種に関しては、製造業に比べて運輸・郵便業であることと、新卒者採用は負の相関にあり、近年、若者の運転免許取得率が低下し、採用対象となる新卒者の数そのものが少ないことも影響していると考えられた。

従業員の属性については、若年従業員（39歳以下）の割合が高い場合には、新卒者を採用できている傾向にあった。雇用した若年者の定着は、組織の閉塞感や硬直性を打ち破り、現場の若返りと活性化を促進することが服部（2016）や藤田（2020）により指摘されている。このような若年従業員の割合が高い事業所では、雇用した新卒者の定着を促進するような取り組みがなされ、雇用環境の整備が新卒者の採用に結びついている可能性が示唆された。

また、労働条件については、所定内労働時間・所定外労働時間・完全週休2日制の有無・有給取得日数・ベースアップの有無・賞与の有無、のいずれも新卒者採用の規定要因とはなっていなかった。

以上のことから、現在の社会経済状況において新卒者採用の鍵を握るのは、従業員数や福利厚生面の充実ではなく、オンライン採用の利用の有無である、といっても過言ではないだろう。確かに中小企業は、大企業と比較して知名度や安定性では不利な側面を有していることは否めない。しかしながら、同規模の中小企業でありながら新卒者採用が実現できている企業とそうでない企業が存在し、その決め手となるのがオンライン採用利用であるという結果は注目に値する。採用活動においてオンラインを導入することにより、知名度が向上し、学生等若年層の求職者との接点が増え、採用に結びつく可能性が高まることが期待される。情報化が急速に進展した現在、社会のデジタル化対応の必要性が叫ばれており、企業にとっては生産や販売の面だけでなく、人材採用の面にもデジタル化を進めていく必要がある。

5　まとめと今後の課題

本稿の分析から考えられる政策的インプリケーションを提示する。基礎自治体において、地域の経済や雇用の重要な担い手である中小企業の持続可能性を高める施策の実施は非常に重要な責務である。それらの施策は、社会経済の変化に対応し、時代環境に適合していることが求められる。そうした観点から、中小企業のオンライン採用の利用を促進する施策を進めることは、中小企業の採用力向上、ひいては人材確保に寄与するものと考える。また、オンライン採用を導入していない企業に対し、導入していない理由（費用・人材等）を調査することで、より現状に即した効果的な施策立案が可能になると考えられる。

加えて、施策の認知度を向上させ、活用度を高める取り組みも欠かせない。中小企業経営者が支援メニューを認知したきっかけとしては、「人づて」および「研修・セミナー・展示会」が上位に挙げられている(5)。注目すべきは、「人づて（日常的な経営に関する相談相手）」と「研修・セミナー・展示会」においては、施策活用群と施策非活用群の差が大きいという点であり、この2つが、経営者が施策活用行動の後押しをしていると言えるだろう。したがって、公的機関が施策の認知度の向上を図るためには、現状では研修やセミナー、展示会の開催が有効であると考えられる。

また、今後、基礎自治体における中小企業政策として人材のオンライン採用導入を進める場合にも、まずは研修やセミナーなどによって認知度を高め、その参加者による人づて（いわゆる口コミ）により施策活用群の割合を向上させることが効果的であろう。

さて、尼崎市では、市内の事業所情報ポータルサイト「アマポータル（Ama-Portal）」を開設し、令和４年度より本格的に運用をスタートしている。このポータルサイトは、市内企業情報や雇用就労情報を集約し、ビジネスマッチングや雇用就労支援に特化した全国的にも類をみない先駆的なサイトである(6)。今後、地域の中小企業のデジタル化を促進し、採用力向上に資するツールとして機能するよう、効果的な運用が求められる。

そのためには、尼崎市および同サイトの運用管理を担う尼崎地域産業活性化機構、さらには市内の各産業支援機関が連携し、地域のネットワークを駆使することで、より多くの企業にアマポータルの活用を促すとともに、企業の活用実績や成果等についても「地域知」として可視化する仕組みの構築に取り組んでいく必要がある。

最後に、今後の課題について述べる。当該アンケート調査では大卒と高卒の区分がされていない。中小企業では、高卒の採用割合が大企業に比べて高い傾向にあり、その主なルートはハローワークや学校経由である。この採用ルートにおいては、行政と学校、企業の三者間で「高等学校就職問題検討会議」が設置され、採用活動のルールとスケジュールのガイドラインが通知されるとともに、全国の都道府県ごとに運用上の細かなルールが定められており、必ずしも大卒と同様に扱えない。また、人材確保の視点からは、雇用の成否だけでなく、その後、定着のためにどのような取り組みを行っているのかを調査・分析することも必要であり、今後の研究課題としたい。

［注］

（１）　日本銀行「短観（概要）2022年12月」 https://www.boj.or.jp/statistics/tk/tankan12a.htm/（2022年12月15日閲覧）

（２）　尼崎市事業所景況調査令和４年７－９月期　https://www.ama-in.or.jp/research/sub01.html（2022年12月15日閲覧）

（３） 尼崎市労働環境実態調査（令和３年度） https://www.city.amagasaki.hyogo.jp/shisei/sogo_annai/toukei/070chousa.html（2022年12月15日閲覧）。本稿は、当該個票データ（アンケート調査等で使用した個々の回答結果を、個人または事業所が特定されないように加工したデータ）の使用について、尼崎市に利用申請を行い、2022年９月30日に承諾を受けたものである。

（４） 中小企業白書（2015年版）第２部第２章第２節「中小企業・小規模事業者の人材確保・定着」 https://www.chusho.meti.go.jp/pamflet/hakusyo/H27/PDF/chusho/07Hakusyo_part2-2_web.pdf（2022年12月15日閲覧）

（５） 小規模企業白書（2020年版）第３部第２章第３節「中小企業支援策の活用」 https://www.chusho.meti.go.jp/pamflet/hakusyo/2020/PDF/shokibo/05sHakusyo_part3_chap2_web.pdf（2022年12月15日閲覧）

（６） アマポータルの事業者情報には、会社概要だけでなく、動画、画像、カタログなどのPDF ファイルなども掲載し、職場の様子や技術を紹介できるようになっている。Google翻訳の機能を搭載し、多言語に対応している。(https://amaportal.jp)（2022年12月15日閲覧）

[参考文献]

伊藤実（2014)「中小企業の雇用変動と人材戦略」『日本労働研究雑誌』649、49–61頁。

江口政宏（2018)「人手不足と中小企業の非正規雇用——労働力調査オーダーメード集計を利用した分析——」『商工金融』68、30–62頁。

沖濵歩（2021)「採用・就職活動の現状と県内企業における今後の課題」『徳島経済』107、59–67頁。

志甫啓（2006)「企業の雇用管理と外国人労働の活用——多様性のある人材活用の観点から——」『関西学院経済研究』37、47–63頁。

東京商工会議所（2021)「企業における採用・人材育成・教育支援に関するアンケート調査結果」、１–34頁。

(独）労働政策研究・研修機構（2014)「多様な就業形態と人材ポートフォリオに関する実態調査（事業所調査・従業員調査)」『JILPT 調査シリーズ』134。

日本政策金融公庫総合研究所（2015)「働く場としての中小企業の魅力——中小企業就業者の特性を踏まえて採用難・就職難を乗り越える人材確保・育成策——」『日本公庫総研レポート』2014–６、１–86頁。

日本政策金融公庫総合研究所（2018)「人材の定着を促す中小企業の取り組み——従業員への意識調査にみる離職防止のためのポイント——」『日本公庫総研レポート』2018–４、１–85頁。

服部泰宏（2016)『採用学』新潮社。

藤田登巳子（2020)「中小企業における若年者雇用と人材定着の現状と課題」『商大ビジネスレビュー』10、185–202頁。

山本和史（2017)「中小企業における新卒採用行動に関する実証分析」『日本労務学会誌』18、４–20頁。

リクルートワークス研究所（2022)「第39回ワークス大卒求人倍率調査（2023年卒)」

『Works Frash』 https://www.works-i.com/research/works-report/item/220426_kyujin.pdf（2022年12月15日閲覧）

Derek S. Chapman, Krista L. Uggerslev, Sarah A. Carroll, Kelly A. Piasentin, and David A. Jones（2005）“Applicant Attraction to Organizations and Job Choice: A Meta-Analytic Review of the Correlates of Recruiting Outcomes”, *Journal of Applied Psychology*, 90, pp.928–944.

特集論文〈Ⅲ〉

自治体の政策とSDGs

Ⅶ 関西における企業のSDGsの取組と課題について

美濃地 研一
三菱UFJリサーチ&コンサルティング株式会社
政策研究事業本部 研究開発第2部（大阪）上席主任研究員

1 はじめに～SDGsをとりまく近年の環境変化～

持続可能な開発目標（SDGs）とは、2015年9月の国連サミットにおいて全会一致で採択された「持続可能な開発のための2030アジェンダ」(1)に掲げられている、図表1のような17のゴール（それぞれのゴールの下には169のターゲット）のことである。

これらのゴールは、2030年の達成をめざしている。ところが、2020年初頭から新型コロナウイルス感染症が世界中に蔓延したことで、人びとの暮らしや経済は混乱し、持続可能な社会とは何かを再考せざるを得ない状況をなっている。また、それ以外にも、地球温暖化はさらに進展し、ロシアによるウクライナ侵攻の影響によって、グローバルサプライチェーンの途絶や政治的な分断、国や個人の格差の拡大など、むしろ持続可能な開発目標（SDGs）に逆行する事態が生じている。

2025年に開催される「2025年大阪・関西万博」(2)は、こうした状況下において「いのち輝く未来社会のデザイン」をテーマに掲げ、SDGsの達成目標年である2030年を見据えた国際的イベントとして企画されており、SDGsについて改めて考えるきっかけとなりそうだ。

「国連で採択されたSDGsなんか、自分とは関係ない」と思われるかもしれないが、尼崎市の隣の大阪市で開催される万博の主要な要素となっていることや、世界各国や企業、学校教育の現場での普及啓発の取り組みが広がっている状況を考えると、他人事（ひとごと）ではなく、自分自身にもかかわる問題だ

と受け止めた方がよい。

図表１　持続可能な開発目標（SDGs：Sustainable Development Goals）

目標１	あらゆる場所のあらゆる形態の貧困を終わらせる
目標２	飢餓を終わらせ、食糧安全保障および栄養改善を実現し、持続可能な農業を促進する
目標３	あらゆる年齢のすべての人々の健康的な生活を確保し、福祉を促進する
目標４	すべての人に包摂的かつ公正な質の高い教育を確保し生涯学習の機会を促進する
目標５	ジェンダー平等を達成し、すべての女性および女児の能力強化を行う
目標６	すべての人々の水と衛生の利用可能性と持続可能な管理を確保する
目標７	すべての人々の、安価かつ信頼できる持続可能な近代的エネルギーへのアクセスを確保する
目標８	包摂的かつ持続可能な経済成長及びすべての人々の完全かつ生産的雇用と働きがいのある人間らしい雇用（ディーセント・ワーク）を促進する
目標９	強靭（レジリエント）なインフラ構築、包摂的かつ持続可能な産業化の促進及びイノベーションの推進を図る
目標10	各国内および各国間の不平等を是正する
目標11	包摂的で安全かつ強靭（レジリエント）で持続可能な都市および人間居住を実現する
目標12	持続可能な生産消費形態を確保する
目標13	気候変動及びその影響を軽減するための緊急対策を講じる
目標14	持続可能な開発のために海洋・海洋資源を保全し、持続可能な形で利用する
目標15	陸域生態系の保護、回復、持続可能な利用の推進、持続可能な森林の経営、砂漠化への対処、並びに土地の劣化の阻止・回復及び生物多様性の損失を阻止する
目標16	持続可能な開発のための平和で包摂的な社会を促進し、すべての人々に司法へのアクセスを提供し、あらゆるレベルにおいて効果的で説明責任のある包摂的な制度を構築する
目標17	持続可能な開発のための実施手段を強化し、グローバル・パートナーシップを活性化する

出所：国際連合広報センターウェブサイトより抜粋

2　近畿地域における自治体のSDGsへの取り組み状況

国では、「持続可能なまちづくりや地域活性化に向けた取組の推進に当たり、SDGsの理念を取り込むことで、政策の全体最適化、地域課題解決の加速化という相乗効果が期待できるため、SDGsを原動力とした地方創生（地方創生

SDGs）を推進」している。そして、地方創生SDGsの達成に向け、優れたSDGsの取組を提案する地方自治体を「SDGs未来都市」[3]として選定している。

2022（令和４）年度までにSDGs未来都市は154都市（155自治体）に拡大している。近畿地方では24の府県・市町村が「SDGs未来都市」に選定されており、兵庫県内においても、５市町が選定されている。同じ兵庫県内の都市で、尼崎市と同様に大規模製造業の集積がある姫路市の「SDGs未来都市計画」[4]をみると、2030年度のゴール・ターゲットを掲げるとともに、市内総生産（名目）を指標として取り上げ、2017年度比で20％の成長を目指している。もちろん、それらを実現するための自治体の施策（産業人材の育成、労働環境づくり、企業集積の推進と創業支援、脱炭素化への投資促進）についても記載されている。SDGsという概念を経済面での施策に結びつけ、地域そのものの持続可能性を高めようとしているわけである。このようにSDGsへ取り組むことは、地域産業の振興にもつながっていることを示している。

図表２　近畿地方のSDGs未来都市

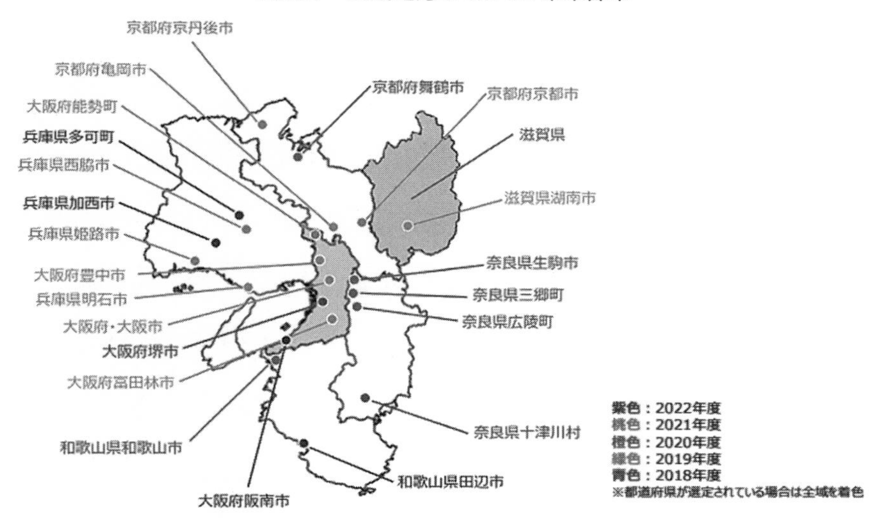

出所：内閣官房・内閣府総合サイト地方創生「地方創生SDGs・「環境未来都市」構想・広域連携SDGsモデル事業」より抜粋。

3　全国における企業のSDGsの取組と課題について

関西における企業のSDGsの取組と課題をみる前に、全国規模でのSDGsに関する調査結果をみておきたい。ここでは、(独) 中小企業基盤整備機構「中小企業のSDGs推進に関する実態調査アンケート調査報告書」(2022年3月)(5)のデータを引用している。この調査は、全国の中小企業経営者、経営幹部、個人事業主等2,000名に対してwebアンケートを実施したものである。

結果をみると、認知度や取組状況は概ね企業規模に比例し、企業規模が大きいほど認知度や取組度合は高く、小さいとその逆となる。また、課題については、取り組んでいない企業では、「メリットがわからない」、「何から取り組めばよいかわからない」、「特に課題はない・わからない」が主な回答となっている。

図表3　従業員規模別のSDGsに対する認知度（N=2,000）

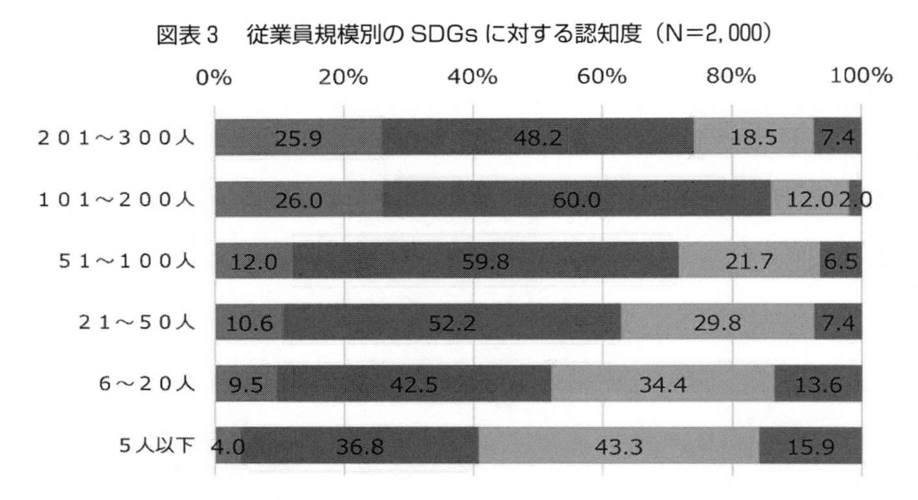

出所：中小企業基盤整備機構「中小企業のSDGs推進に関する実態調査アンケート調査報告書」

図表4　従業員規模別のSDGsの取り組み状況（N＝2,000）

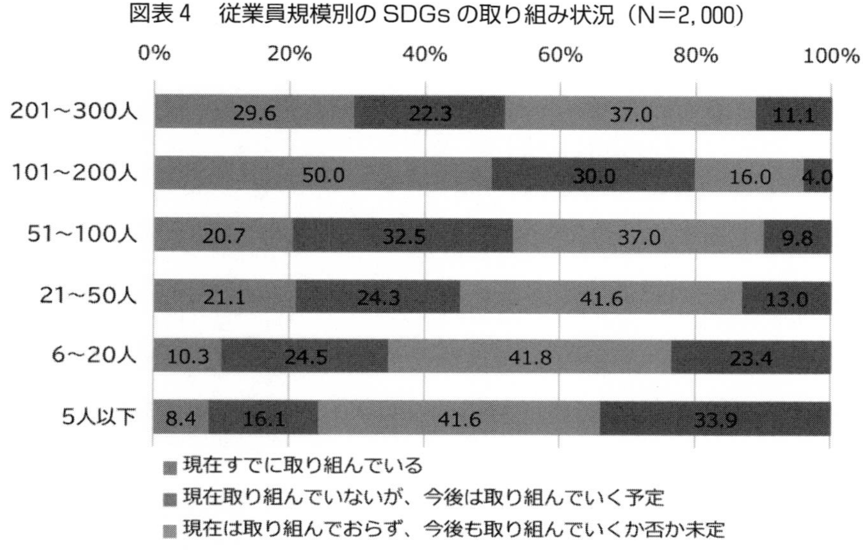

出所：中小企業基盤整備機構「中小企業のSDGs推進に関する実態調査アンケート調査報告書」

図表5　SDGsの取り組みに向けた課題（取組企業＝613，未取組企業＝1,387）

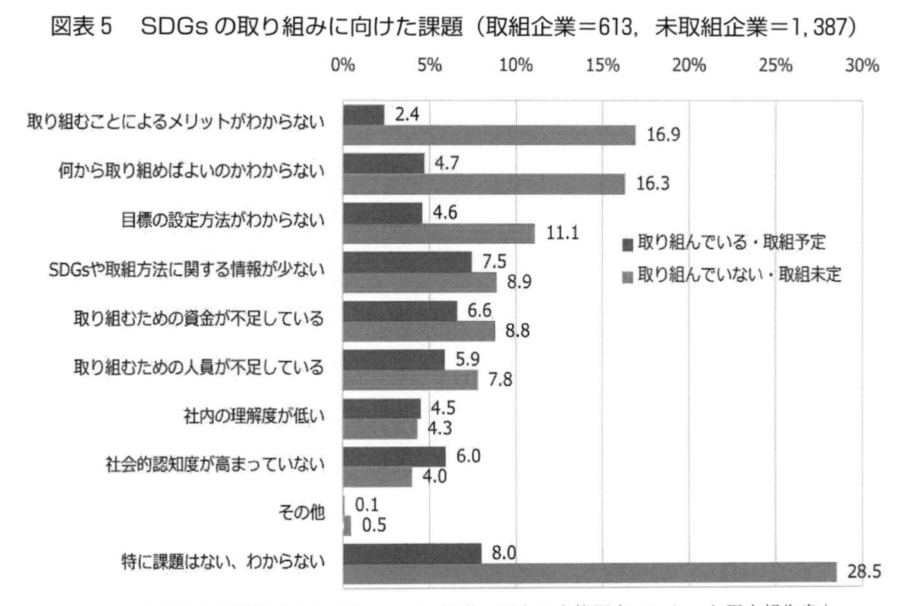

出所：中小企業基盤整備機構「中小企業のSDGs推進に関する実態調査アンケート調査報告書」

4　関西における企業のSDGsの取組と課題について

次に、関西製造業（主に機械工業）を対象にしたアンケート調査結果をみていきたい。ここでは、一般社団法人日本機械工業連合会・一般財団法人機械振興協会「2021年度関西製造業のSDGs活動推進調査」(6)（2022年３月）のデータを引用している。

現在取り組んでいる具体的対応・アクションについては、「SDGs理解の情報収集・勉強」、「SDGsについて対応していない」、「本業を通じた社会課題解決の取組」の順となっている。また、SDGsの多くの項目にかかわる脱炭素の取り組みに関する課題としては、「費用負担が大きい」、「コスト転嫁できない」、「リソース不足」、「ノウハウ不足」の順となっている。

ここではデータを取り上げていないが、SDGsや脱炭素に関する認知度や取り組み状況を把握した質問もある。全国調査と同様に、概ね売上規模（≒企業規模）に比例して、認知度や取組度合が高いという傾向がある。

つまり、現時点では、投資家からの情報開示を強く求められる上場企業等の大企業が、SDGsや脱炭素に取り組んでいる姿が浮かび上がってくる。ところが、それらの大企業も、サプライチェーンを通じて、国内外の中小企業とつながっていることから、中小企業に対しても、SDGsや脱炭素の取り組みを推進するよう、今後強く要請することになるのは明らかである。

その一方で、課題としてあがっているのは、取り組みに対する費用負担の大きさやそのコストが転嫁できないといったコスト面の課題と、リソース不足、ノウハウ不足といったソフト面の課題である。

逆に言えば、取り組みの意欲はあるものの、コスト面やソフト面が課題となって、取り組みが進まないのであれば、大企業が取引先企業をコスト面やソフト面でサポートすることで推進可能になるともいえる。また、取り組み意欲のある中小企業に対して政策的にコスト面やソフト面をサポートする仕組みを導入することで、取り組みを推進できる。

図表６　現在取り組んでいる具体的対応・アクション（N＝404）

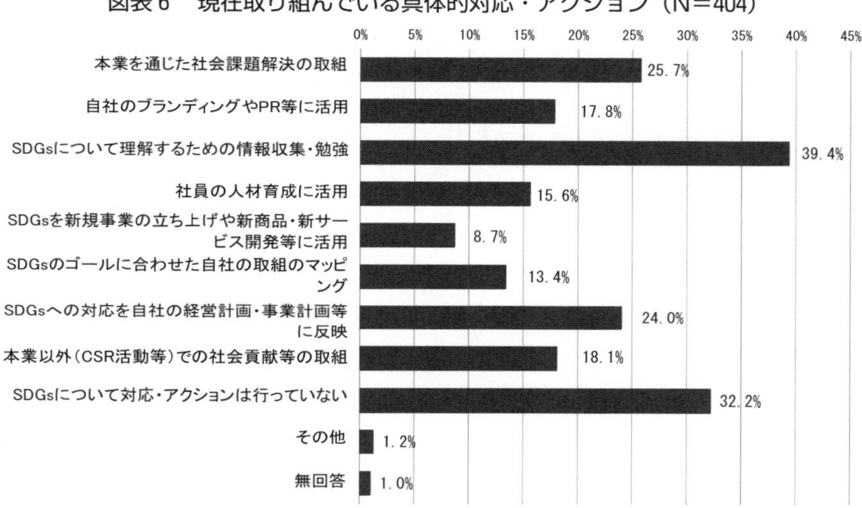

出所：日本機械工業連合会・機械振興協会「2021年度関西製造業のSDGs活動推進調査」

図表７　脱炭素に向けた取組を進めるうえでの課題（N＝193）

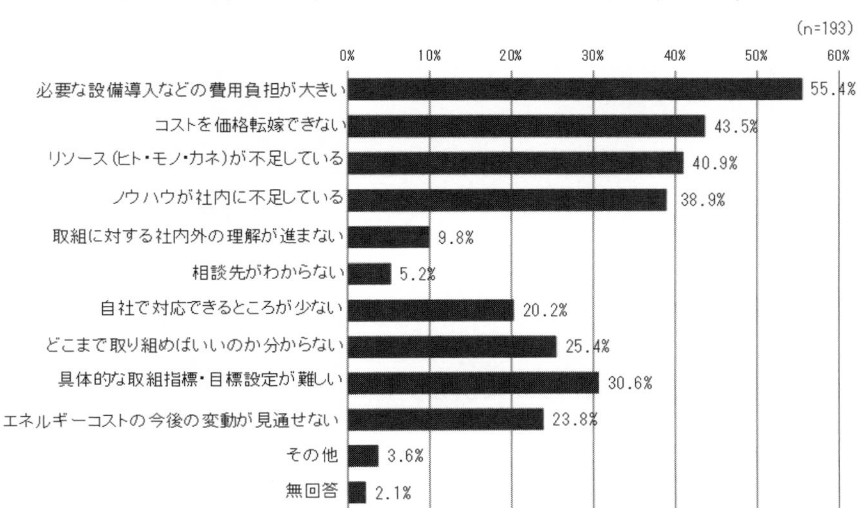

出所：日本機械工業連合会・機械振興協会「2021年度関西製造業のSDGs活動推進調査」

5　関西における企業のSDGsの取組を推進するために

(1) 企業とSDGsとのかかわり

アンケート調査結果（図6）でみたように、「SDGsについて対応・アクションしていない」企業が32.2%にのぼっている。しかしながら、SDGsに取り組んでいる企業へヒアリングをしてみると、「本業による事業展開そのものがSDGsの取り組みにつながっている」という答えが返ってくる。あるいは、「創業の理念、企業理念・経営理念が、社会に対する貢献を目指したものであり、現代の言葉に置き換えると、SDGsの考え方に共通する部分がある」といった意見が出てくる。

つまり、「ウチの会社は、SDGsなんかには取り組んでいない」と思っていても、実際にはSDGsと無縁ということはないのではないか。「企業は営利を追求することに存在意義がある」という考え方もあるが、同時に、企業は人によって構成される組織であり、また多様なステークホルダーとの関係がなければ存在することができないことも事実であろう。そのように考えると、自社の事業・ビジネスが、SDGsのゴールやターゲットに関係ないと言い切れる企業など、ないのではないか。つまり、SDGsを自らとかかわりのあることと捉えて、具体的に取り組むという意識を持つことが、取組の第一歩といえよう。それでも、「どうしたらいいかわからない」という場合には、さまざまな支援が充実してきている。それらもここで紹介しておきたい。

(2) 産業支援機関や自治体による支援

例えば、(独) 中小企業基盤整備機構近畿本部では、「中小企業のためのSDGs活用ガイドブック」[7]やさらにそれらをわかりやすくした「まんが版 中小企業のSDGsはじめの一歩」[8]を製作している。また、SDGs未来都市に採択された県・都市などでは、SDGsにこれから取り組む企業や取り組んでいる企業の登録制度の運用も盛んに行われている。簡単な様式を埋めて、SDGsへの取り組みを宣言することで、自治体がその企業の取り組みを登録し、対外的にその取り組みを公開するものである。これによって、企業同士のネットワークが形成されたり、地域や地元の学校からの連携の要請が来たりすることで、企業側のモチベーションが高まり、取り組みが加速する、さらには人材の採用や新しい取引先が生まれたりといった効果が出ている例もある。

（３）大企業による支援

大企業が中小企業の取り組みを後押しする取り組みも広がっている。例えば、事務機器大手のリコー[(9)]・リコージャパンは、全国の自治体と包括連携協定を提携し、その多くは地方創生・SDGsに関するものである。リコーがSDGsのアンバサダーとなって、その自治体の中で活動している。大手の損害保険会社も同様の取り組みを全国各地で競って展開している。三井住友海上の「自治体と連携した中小企業への支援（SDGs取組、働き方改革／健康経営、BCP）」を行う自治体との連携協定の締結数は、47都道府県、208市町村（2022年11月末現在）[(10)]に達している。損保ジャパンにおいても連携協定締結数は283件[(11)]（2022年４月末）を数え、東京海上日動も地方創生や連携協定締結[(12)]に積極的に取り組んでいる。中小企業であっても、何らかの損害保険に加入しているはずであり、自社と取引のある損害保険会社の代理店や営業担当者に「SDGsに関する支援を受けることができないか」聞いてみるとよい。

（４）金融機関と大企業がタッグを組んだ支援

地域の金融機関と大企業がタッグを組んで、中小企業を支援しようという動きもあるので紹介しておきたい。「京都銀行と持続可能な社会の実現に向けた包括連携協定を締結　社会課題の解決に向けて製造業・金融機関で協業」[(13)]というタイトルで、プレスリリースを行ったのは、京都市に本社を置く島津製作所である。京都銀行[(14)]は「本協定の締結により、当行と同社はこれまで築いてきたリレーションを基に、京都に本社を置く金融機関と製造業としての経営資源を有効に活用し、事業活動を通じて地域の成長・活性化や環境負荷軽減などSDGs達成を含む持続可能な社会の実現に貢献していきます。当行では、今後も、地元企業等との連携を通じて取引先のSDGs・ESG経営をサポートし、持続性のある地域社会の実現を目指してまいります」とプレスリリースに記載している。

図表9　京都銀行と島津製作所の連携内容

(1) 社会課題の解決に資すること
(2) 地域経済の発展・活性化・脱炭素化に関すること
(3) 地域産業のイノベーション促進・生産性向上に関すること
(4) SDGsの理念等の浸透に関すること
(5) SDGsの推進に向けた人材育成に関すること
(6) 地球環境・地域環境への負荷軽減に関すること
(7) その他、本目的に資すると認められる事項に関すること

出所：京都銀行プレスリリース（2021年12月13日）より抜粋

6　結び～経営者が一歩踏み出すことがポイント～

SDGsの重要性が高まり、さまざまな支援が拡大する中で、「SDGsは自社にとっては関係ないことだ」と考えるのは、既存の取引関係やステークホルダーとの関係を損なう可能性さえあるのではないか。「当社はSDGsには取り組んでいない」ということかもしれないが、これまで企業として存続し、事業活動を継続させることができたのは、取引先やステークホルダーから信頼を得て、価値を提供し続けてきた証左である。ということは、自社の事業活動をSDGsの視点で見つめ直すだけで、SDGsとのかかわりは見えてくるはずである。社内だけで取り組むことが難しければ、自治体や産業支援機関、金融機関、取引先に相談してみてはいかがだろうか。

中小企業にとって、高いハードルがあるようにみえるSDGsだが「当社の経営理念に照らし合わせてみれば、SDGsと共通する考え方があり、自社の事業活動そのものがSDGsに貢献するものである」ということに気付くのではない

か。そうなれば、中小企業経営者がSDGsを自らの言葉で語ることは難しくないはずである。SDGsに向きあい、取り組みを継続すれば、じわじわとその効果は経営にも表れてくるはずだ。多くの中小企業経営者がSDGsに取り組むことで、自社や地域経済の好循環につながることを期待したい。

［注］

（1）　外務省「持続可能な開発のための2030アジェンダ」https://www.mofa.go.jp/mofaj/gaiko/oda/sdgs/pdf/000270935.pdf（2023年1月3日閲覧）

（2）　公益社団法人2025年日本国際博覧会協会「開催概要」https://www.expo2025.or.jp/overview/（2023年1月3日閲覧）

（3）　内閣官房・内閣府総合サイト地方創生「地方創生SDGs・「環境未来都市」構想・広域連携SDGsモデル事業」https://www.chisou.go.jp/tiiki/kankyo/index.html（2023年1月3日閲覧）

（4）　姫路市「姫路市 SDGs未来都市計画 ～世界をつなぐSDGs推進都市ひめじの夢～」https://www.city.himeji.lg.jp/shisei/cmsfiles/contents/0000016/16724/keikaku.pdf（2023年1月3日閲覧）

（5）　独立行政法人中小企業基盤整備機構「中小企業のSDGs推進に関する実態調査アンケート調査報告書（2022年3月）」https://www.smrj.go.jp/research_case/research/questionnaire/favgos000000k9pc-att/a1656402897354.pdf（2023年1月3日閲覧）

（6）　一般社団法人日本機械工業連合会・一般財団法人機械振興協会「2021年度関西製造業のSDGs活動推進調査報告（2022年3月）」http://www.jmf.or.jp/houkokusho/2918/2924.html（2023年1月3日閲覧）

（7）　独立行政法人中小企業基盤整備機構近畿本部「中小企業のためのSDGs活用ガイドブック」（2021年3月）https://www.smrj.go.jp/regional_hq/kinki/news/2020/favgos000001dlat-att/a1616374711852.pdf（2023年1月3日閲覧）

（8）　独立行政法人中小企業基盤整備機構近畿本部「まんが版　中小企業のSDGsはじめの一歩」（2022年1月）https://www.smrj.go.jp/ebook/sdgs-comics-kinki/#page=1（2023年1月3日閲覧）

（9）　リコー「包括連携協定の締結」https://www.ricoh.co.jp/solutions/sousei/news（2023年1月3日閲覧）

（10）　三井住友海上「地方創生への貢献」https://www.ms-ins.com/company/region/（2023年1月3日閲覧）

（11）　損保ジャパン「地方創生への取組み」https://www.sompo-japan.co.jp/company/region/（2023年1月3日閲覧）

（12）　東京海上日動「地方創生の取り組みへの貢献」https://www.tokiomarine-nichido.co.jp/company/region/（2023年1月3日閲覧）

(13)　島津製作所プレスリリース「京都銀行と持続可能な社会の実現に向けた包括連携協定を締結」（2021年12月13日）https://www.shimadzu.co.jp/news/press/fpcxx94od83bva_p.html（2023年1月3日閲覧）
(14)　京都銀行プレスリリース「持続可能な社会の実現に向けて　株式会社　島津製作所と包括連携協定を締結！」（2021年12月13日）https://www.kyotobank.co.jp/news/data/20211213_2340.pdf（2023年1月3日閲覧）

Ⅷ 尼崎市における地域経済の活性化と脱炭素に向けた取組

吉田 淳史
尼崎市経済環境局長

1 第6次尼崎市総合計画

我が国では、多くの地方自治体が、まちづくりの基本的な理念や目標、方針などを定めた「基本構想」、基本構想に基づく具体的な施策を示す基本計画などからなる「総合計画」を策定し、行政運営を行っており、本市においても、その時々の社会情勢を踏まえながら、これまで5次にわたって「基本構想」を策定してきたが、2013年度にスタートした第5次尼崎市総合計画が、今年度末で期限を迎えることから、2022年の6月に第6次尼崎市総合計画を策定した。

本市では、まちづくり構想とまちづくり基本計画を一体としたものを「総合計画」としており、まちづくり構想は、まちづくりにかかわる主体と共有していく、尼崎らしいまちづくりのビジョン（展望）を示すもので、私たちがまちづくりを進める上で共有する「こうありたい」と思う尼崎らしいまちの姿を「ありたいまち」として掲げているとともに、「ありたいまち」の実現に向け、私たちがまちづくりを進める上で、大切にしたい基本的な姿勢や基本とする考え方や方針を示している。

また、まちづくり基本計画は、「ありたいまち」である「ひと咲きまち咲きあまがさき」の実現に向け、まちづくり構想に示す「まちづくりの進め方」や「まちづくりの基本的視点」を踏まえ、今後のまちづくりの取組方針などを示す本市の最上位の行政計画である。

まちづくり基本計画では社会潮流や本市の状況を踏まえるなかで、計画期間中に複数年をかけ、優先的かつ集中的に取り組み、施策を連携させながら、より強力に推進していく4つの主要取組項目を設定しており、その一つとして

「脱炭素・経済活性化」を掲げ、「地域経済の活性化」と「脱炭素社会の実現に向けた取組の推進」に取り組むこととしている。

2　地域経済の活性化

まず、「地域経済の活性化」では、経済成長と二酸化炭素排出量抑制の両立に向け、引き続き、産学公融ネットワークを生かし、脱炭素、SDGsなど成長分野への事業展開の支援等を通じたイノベーションの創出による地域経済の活性化に取り組むとともに、社会的課題解決型ビジネスなど時代の変化に応じた創業支援や、SDGsの見える化と地域経済の活性化を目的とした電子地域通貨「あま咲きコイン」の活用促進等に取り組むこととしている。

個別の施策について申し上げると、施策11「地域経済・雇用就労」では、社会や時代の変化に柔軟に対応し、地域経済の持続的な発展を推進することで、市民生活の向上をめざすなか、「イノベーションの促進に向けた環境づくり」、「地域経済の活性化や循環の促進」、「雇用就労の充実」、「観光振興による地域経済の活性化と魅力向上」に取り組んでいくものである。

具体的には、脱炭素やSDGsなど成長分野への事業展開等に向けた産学公融ネットワークの強化に加え、新製品の開発やIoT化の導入支援など、製造業等のイノベーションの促進支援、スモールオフィス機能や創業塾等を活用した創業支援の充実による市内における起業の促進、「あま咲きコイン」を活用した地域商業の発展及びキャッシュレスの推進、事業所訪問や産業団体・金融機関との連携による事業継続の促進支援の充実や減災対策への取組促進及び危機意識の醸成のほか、市内産野菜「あまやさい」のPRなど市内農業者の営農環境の充実、生鮮食料品等の安定供給・取引の適正化のほか、企業、求職者のニーズに応じたきめ細やかな雇用就労支援や、労働者のスキルアップによる生産性の向上、観光重点取組地域（尼崎城を含む城内地区、寺町、中央・三和商店街周辺）を中心とした観光地域づくりを推進することとしている。

3　さらに広げたい二つの取組

ここで、経済の活性化とSDGsの推進にあたって、その輪をさらに広げたいと考えている二つの事業を紹介する。

（1）「あま咲きコイン」

一つ目は、電子地域通貨「あま咲きコイン」である。新型コロナウイルス感染症の影響により落ち込む地域経済の活性化をめざし、プレミアムキャンペーン事業や子育て世帯への給付事業のほか、市内企業・商店街がポイントの原資を負担して「あま咲きコイン」を発行できる制度を導入するなどにより、加盟店数は約1,200店、利用者数も10万人、総発行ポイント数は累計で40億ポイントを超える状況となり、地域経済を活性化する社会インフラとなりつつある。

特に、加盟店については、利用者数の増加に伴い加盟希望が増えており、市内各商店街、大手スーパーなど、店舗数がさらに拡大する見込みである。

また、市民のSDGs行動の推進に向け、本市や協賛企業が実施する、健康づくりや環境に優しい活動、ボランティアなどの事業等への参加で「あま咲きコイン」がもらえるというSDGs行動の見える化を図ることにより、これまでに1,000万ポイントを超える「あま咲きコイン」を付与し、市民のSDGs行動を促している。

市内企業・商店街の「あま咲きコイン」発行数は、年々増加しており、本市では、独自の取組として職員の表彰制度に導入するなど、更なる活用をめざし、様々な取組を進めている。

今後は、こうした取組に加え、総合計画の進捗状況を測る仕組みとしての活用や販売促進を目的とした市内事業者による活用など、他の自治体での取組等も研究し、一層の利便性向上に努め、更なる流通規模の拡大、財源の確保などによる持続可能な仕組みづくりに向けた取組を進め、市民にとって欠かせない地域通貨となるよう全力で努めていきたいと考えている。

（2）「あまがさきSDGsパートナー登録制度」

二つ目は、「あまがさきSDGsパートナー登録制度」である。市内企業のSDGs達成に向けた取組を推進するため、SDGsに資する活動を行うと宣言した企業や団体を「あまがさきSDGsパートナー」として登録し、市が周知しており、その登録数は約40社となっている。

今年度は新たな取組として、10数社の「あまがさきSDGsパートナー」と市が連携し、市立小田中学校の生徒約200人を対象に「SDGsの学習支援」を行った。生徒が、尼崎市SDGsジュニアサポーターの登録を行い、次に4ステップの学習（①SDGsのカードゲームを通じて知識を深める、②あまがさきSDGsパートナーを講師に迎えた授業を受ける、③フィールドワークとして同パートナーの事業所を訪問する、④レポートを作成して発表する）を行うことで、SDGsに関する活動に積極的に取り組む意識付けにつなげた。

また、SDGsパートナーの参加企業にとっても、今後の事業活動の展開における、SDGsに資する活動について改めて考えるきっかけづくりの場として活用することができたと考えており、引き続き、こうした取組や登録数の拡大を進め、企業や団体を中心としたSDGs活動創出を推進していきたい。

図1　あまがさきSDGsパートナー

あまがさき
SDGsパートナーロゴマーク

市HP「あまがさき
SDGsパートナーについて」

4　「脱炭素社会の実現に向けた取組の推進」

次に「脱炭素社会の実現に向けた取組の推進」では、再生可能エネルギーの普及やエネルギーの地産地消、省エネ型建築物・エコカーの普及、食品ロス・プラスチックごみの削減などに取り組み、市民・事業者等と地球温暖化の危機を正しく認識・共有し、連携しながら、2050年までに二酸化炭素排出量を実質ゼロにする脱炭素社会の実現に向け、行動していくこととしている。

個別の施策について申し上げると、施策12「環境保全・創造」として、市民・事業者等と一体となって環境問題に取り組み、良好な環境を次の世代へ継承するため、「脱炭素社会の形成」、「循環型社会の形成」、「環境の保全」に取り組んでいくこととしている。

具体的には、環境配慮型建築物の普及や設備の更新・運用改善などによる消費エネルギーの徹底的な削減、再生可能エネルギー設備の導入促進など、二酸化炭素の排出を伴わないエネルギーの推進に加え、環境教育の内容の充実化や、電子地域通貨「あま咲きコイン」の活用による環境配慮行動の促進など、環境に配慮したライフスタイルの実践に向けた支援を行うとともに、社会的課題の解決にも寄与する食品ロスやプラスチックごみの削減など、リデュースを中心とした３Ｒによるごみ減量の推進やルールに則った分別など、廃棄物の適正処理の推進のほか、安定的かつ災害対応に配慮した新ごみ処理施設の整備など、持続可能なごみ処理体制の構築、環境監視と規制、立ち入りによる指導、自然・農地保全の活動や市民団体と連携した環境学習・啓発など、生物多様性に配慮した取組を支援することとしている。

5　経済と環境が共生する脱炭素社会をめざした取組

経済と環境が共生する脱炭素社会をめざした取組を三つ紹介する。一つ目は、「エネルギーの地産地消促進事業」である。地域に必要なエネルギーを、再生可能エネルギーなど地域で生み出したエネルギーで供給するもので、本市

図2　あま咲きコイン

市HP「省エネ行動で
あま咲きコインをためよう」

では、市立クリーンセンターでごみを燃やした際の廃熱を利用して発電した電気について、小売電気事業者を介し、CO_2フリーのクリーンな電気として、市内事業者向けに供給している。

近年、自治体が主導・出資して設立した自治体新電力によるエネルギーの地産地消の取組が増えているが、自治体新電力は、利益の地域内循環による経済活性化効果等の利点がある一方、事業採算性・運転資金の確保等の負担が大きく、経営難に陥る場合も少なくないことが明らかになってくるなか、本市は、小売電気事業者と連携し、自治体新電力を設立しないスキームを構築し、最小限の費用及び手続きでエネルギーの地産地消を実現しているもので、産業・業務部門の二酸化炭素排出量の削減とともに、市内事業者の脱炭素経営による競争力強化の一助となるよう取組を進めている。

二つ目は、「地域通貨を活用したクールチョイス推進事業」である。省エネ家電への買替えやバスによるエコ通勤など二酸化炭素排出量削減につながる行動を行った市民等に、その削減量に応じ、電子地域通貨である「あま咲きコイン」を進呈するもので、省エネ家電について、市内の「ひょうごスマートライフマイスター店」で買替えすると、通常の2倍の「あま咲きコイン」を進呈している。

「あま咲きコイン」は市内の加盟店で、1ポイント1円で利用でき、市内経済の循環にも役立ち、二酸化炭素排出量削減と地域経済の活性化の同時達成を図っている。

最後に三つ目の取組は「もったいない！　あまがさき 推進店」認定制度である。日本国内では、食品ロスが年間約522万トン発生しており、国民一人あたり、毎日お茶碗一杯分の食べることのできる食品を廃棄していることになる。

まだ食べることのできる食品を廃棄することは、多くの食材等の資源を無駄にしているだけでなく、その製造過程や流通において消費される多くのエネルギーも無駄にしているなか、そうした無駄を減らし限られた資源を有効に使うため、食品ロス削減の取組をあらゆる場面で行うことが求められており、日常の家庭での食事における取組はもちろんのこと、飲食店や小売業等の事業活動においても取組の重要性は高まっている。

そこで本市では2022年度から、小盛りメニューの導入や食べ残し削減の啓発等に取り組む飲食店、小売店、宿泊施設等を「もったいない！　あまがさき推進店」として認定する取組を行っている。

認定した店舗には認定ステッカーやポスターを配付するだけでなく、ホームページで認定店名を公開する等のPRを行うことで、取組の輪を広げていきたいと考えている。

図3　もったいない！　あまがさき 推進店

認定店ステッカー

市HP「もったいない！
あまがさき 推進店」について

Ⅸ 尼崎市内における企業のカーボンニュートラルの推進

西岡 努
尼崎市経済環境局経済部経済観光振興課 係長

1 はじめに

ポストコロナ社会において、企業はさまざまな課題に直面しているが、その中でも特に重要な課題のひとつが気候変動リスクへの対応である。日本としても、2020年10月に2050年カーボンニュートラルを目指すことを宣言した。

また、尼崎市でも2021年6月に「尼崎市気候非常事態行動宣言」により、2050年までにカーボンニュートラルの実現を目指し取組を加速することを表明し、あわせて2030年のCO_2排出量を2013年度比50％削減するという目標を掲げた。

本稿では、こうした動きの中で、「尼崎市内における企業のカーボンニュートラルの取組」について、これまでの取組や事例と今後の方向性について紹介していきたい。

2 公害のまち尼崎の歴史

尼崎市は交通の利便性が高く、高度経済成長期には阪神工業地帯の中核として発展してきた一方で、金属を腐食させるほどの激しい大気汚染や、工場排水等が河川に流入することによる水質汚濁などの深刻な公害問題を経験してきた(図１)。

しかし、産業界・市民・行政すべての努力によって、課題は残っているが、空も川も綺麗になり、環境問題は大きく改善した（図２)。また、その過程で生まれた高い環境意識と連携体制が現在の強みとなっている。

図１　昭和40年市広報課撮影

図２　国交省「蘇る水百選」庄下川

３　尼崎市の CO_2 排出量の現状

まずは、尼崎市全体の CO_2 排出量から説明する。現在の尼崎市の CO_2 排出量は、2,488kt−CO_2（2019年度速報値）である。近年、エネルギー使用量は減少傾向にあり、CO_2 排出量も減少傾向が続いている（図３）。

また、部門別では、産業及び業務その他部門で全体の約７割を占め、それらのエネルギー・燃料種別の CO_2 排出量の割合は約６割を電気が占めることから、電力の使用量の削減と再生可能エネルギーなど CO_2 を排出しない電力への転換が必須な状況である（図４）。

図３　市内 CO_2 排出量及び
市内電力排出係数の推移

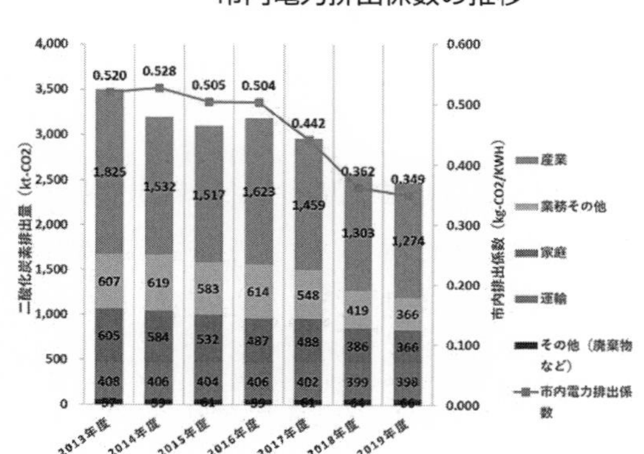

出所：尼崎市

図４　2019年度部門別
CO_2 排出割合

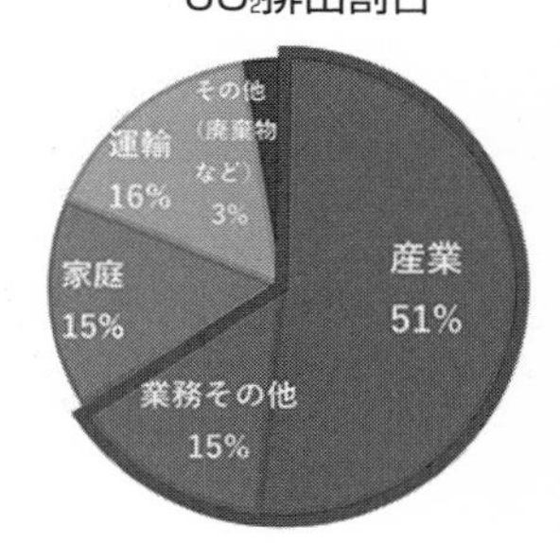

出所：尼崎市

4　これまでの環境の取組

これまで尼崎市では、経済と環境の両立を目指して様々な取組を進めてきたが、その中でも代表的な２つの取組を紹介する。

（1）環境モデル都市への選定

2010年に産業界からの提案を受け、より良い環境を次世代に引き継いでいくことを意識した産業活動を目的に、本市と産業界が「ECO 未来都市・尼崎」[(1)]共同宣言を行うなど、地域資源や人のつながりを活かした環境のまちづくり活動を行ってきた。

また、2013年３月には、市民・産業界・行政が一丸となって、「ECO 未来都市あまがさき」の実現に向け、環境と経済の両立を目指すという本市の提案が評価され、国（内閣府）から「環境モデル都市」に選定された。

選定後は、「高い技術力・生産力」「コンパクトな市域・機能集積」「市民や事業者の高い協働意識」を活かす３つの基本方針を掲げたアクションプランに基づき取組を進め、2030年温室効果ガス排出量を1990年比30％削減するという目標を、2014年に大幅な前倒しで達成した。こうした一連の取組が、現在は脱炭素社会の実現に向けた取組へと発展し、全国に向け情報発信を続けている。

（2）尼崎版エネルギー地産地消の取組

2020年度から、エネルギーの地産地消の実現に向け、NTT グループや尼崎信用金庫と連携し、クリーンセンターの廃棄物発電の余剰電力を、CO_2排出量ゼロのクリーンな電気として市内事業者に安価に販売するとともに、連携事業者のリソースを活かし AI を用いた省エネ診断や省エネコンサルティング、テレワークに資するシステム導入支援等、市内事業者の脱炭素経営を支援している[(2)]（図５）。

図５　尼崎市エネルギー地産地消促進事業　イメージ図

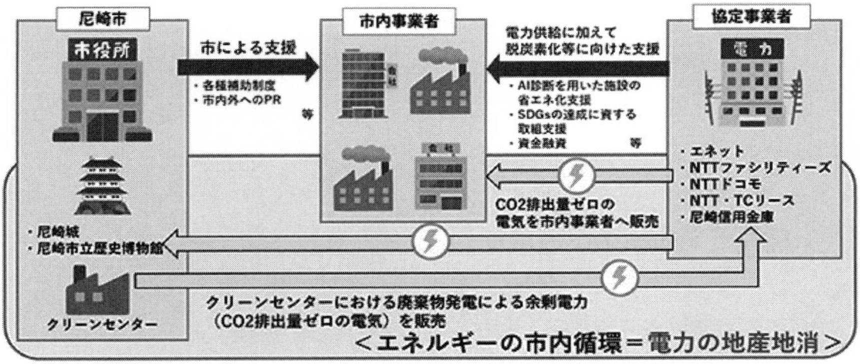

出所：尼崎市

５　第１回「脱炭素先行地域」に選定

（１）南部地域の課題

先程のとおり、尼崎市は、阪神工業地帯の中心地として発展してきた歴史がある。特に、南部地域の臨海エリアには、大規模な工場が多く立地してきた。その大規模な工場で働く人が職場近くの南部地域に移り住むことで、阪神間を代表する商業集積地としても発展してきた。

しかし、機械等の進化により自動化が進み、従業員の減少とともに、人口が減少し、高齢化も北部と比較すると急速に進んでいることが南部地域の大きな課題である。

（２）阪神タイガースファーム施設の誘致

そこで、尼崎市としては、民間の活力を生かし、南部地域の活性化を目指して様々な取組を進めてきた。

その中の代表的な取組が、「阪神タイガースファーム施設の誘致」である。

尼崎市と阪神グループは、阪神タイガースファーム施設の移転のために、2016年度から移転に向けて協議を進めてきた。阪神タイガースファーム施設は、現在西宮の鳴尾浜に立地しているが、施設が手狭になるなどの課題を抱えていた。そこで、尼崎市としては、南部地域の活性化や交流人口の増加等のために尼崎市に誘致出来ないか考えて、協議が始まった。

現在の鳴尾浜に立地する前には、尼崎の浜田球場を本拠地としており、尼崎にはもともとゆかりが深い球団である。その名残もあり、阪神尼崎駅周辺の商店街や地域の住民には阪神ファンが多く、地元球団として古くから愛されてきている。

また、2019年３月に尼崎城の開城を契機に、尼崎市では観光地域づくりを推進していく機運が高まっていたこともあり、交流人口の増加や地域の活性化とともに、スポーツ振興の推進や観光の目玉施設として、2025年２月に阪神大物駅近くにある小田南公園への阪神タイガースファーム施設移転に向けてこれまで以上に本格的に協議を進めてきた。

本事業は、本市と阪神グループが移転を検討してから、５年以上かけて協議を進めてきたが、これまで地域住民や公園利用者等を対象に、説明会の開催や移転に関する地域住民を対象とするアンケート等を実施し、2,700件以上に及ぶ地域の意見等を丁寧に聴取し、合意形成を進めてきた。

2020年10月に実施したアンケートでは、地域の活性化に繋がる本事業への期待する意見等を多くいただき、周辺整備を行うことで、一定の機能維持等が確保出来ることが見えてきたことなどから、2021年５月には、尼崎市と阪神グループで「小田南公園整備事業に関する基本協定書」を締結し、移転実現に向けて取組を進めていくことに合意した。

（３）環境省から第１回脱炭素先行地域への選定

タイガースファーム施設の移転実現に向けて協議を進めている中で、地域からは、公園機能だけではなく、緑が多い公園だったこともあり、環境についての取組も進めて欲しいとの意見も多くあった。

そこで、尼崎市としてはこれからの大規模開発モデルとして、スポーツの在り方モデルとして、阪神電気鉄道株式会社と共同で、環境省が募集する第１回脱炭素先行地域[3]に応募し、選定された。

取組概要等についてはつぎのとおりである。

①　提案事業名

阪神大物地域ゼロカーボンベースボールパーク整備計画

〜地域課題解決型！　官民連携事業〜

②　脱炭素先行地域の対象

小田南公園（タイガース野球場等）、大物公園、大物川緑地、阪神電車尼崎市内全ての駅（６駅）

③　取組概要

小田南公園に阪神タイガースファーム施設が移転することにあわせ、小田南公園内の野球場や室内練習場等のスポーツ施設に太陽光パネルや蓄電池を導入し、自営線による同施設間や近隣の大物公園、大物川緑地間の電力融通を行った上で、不足する電力をごみ発電の余剰電力を活用し、ゼロカーボンベースボールパークを実現する（図６）。

あわせて、近隣の阪神電車の市内にある全ての駅（６駅）を太陽光発電等により脱炭素化するとともに、EV バスやシェアサイクルの導入を行い、来場時の交通手段から脱炭素化を図り、先行地域内で行われる脱炭素の取組（ゼロカーボンナイターの開催、廃棄物発生の抑制及びリサイクルの推進など）をPR することにより、小田南公園を含む先行地域全体での交流人口の増加による地域活性化と脱炭素社会の実現を同時に達成する。

図６　先行地域（小田南公園等）の整備後完成イメージ　　※北から見た図

室内練習場
タイガース練習場
選手寮兼クラブハウス
小田南公園野球場
タイガース野球場
大物駅
大物川緑地
大物公園

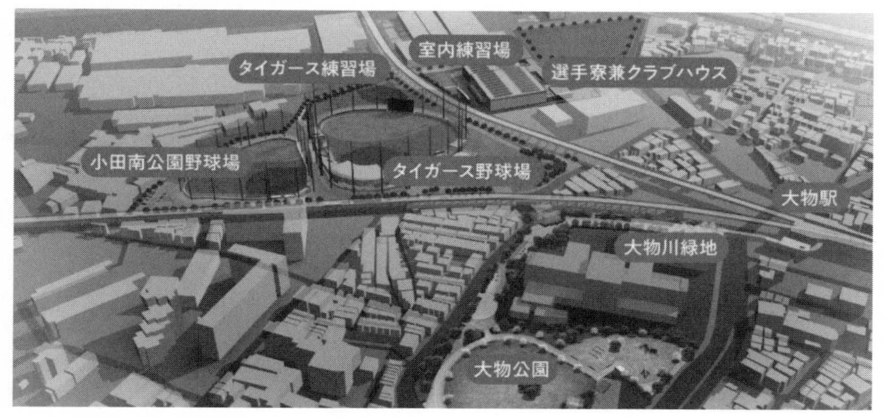

出所：尼崎市

④　脱炭素先行地域の概況（図７）

図７　脱炭素先行地域の概況

脱炭素先行地域は、次のとおり阪神大物地域及び阪神電車各駅とする。
脱炭素
先行地域
大物公園
杭瀬駅
阪神電車
小田南公園
小田南公園
野球場
大物駅
尼崎駅
タイガース
野球場
小田南公園
広場
出屋敷駅
尼崎センター
プール前駅
武庫川駅
大物川緑地
室内練習場
選手寮兼
クラブハウス
連携事業者
（小売電気事業者）
クリーンセンター
尼崎市エネルギーの地産地消促進事業
鉄道区域：各駅で発電した電気については駅間で融通し100％自家消費
（不足分については、再エネ電力メニューを調達）
自営線区域：小田南公園内の施設間、各公園間で自営線による電力融通
（　不足分については、クリーンセンターから再エネ電力を調達）

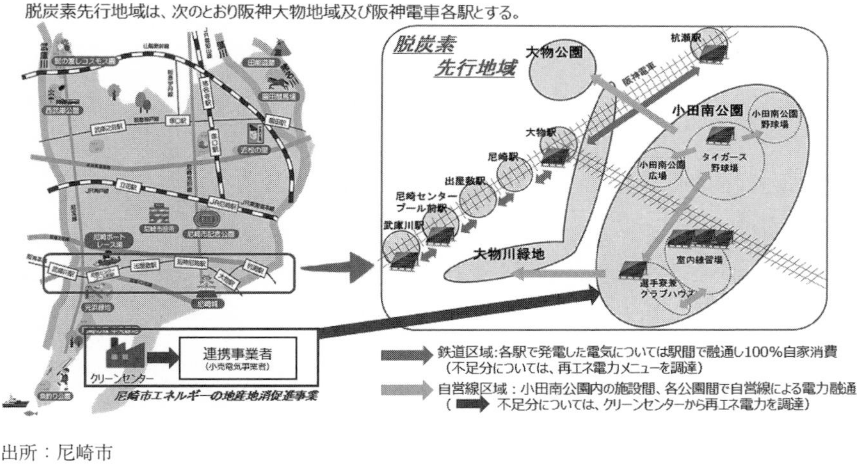

出所：尼崎市

⑤　取組により期待される効果

●交流人口の増加

阪神タイガースファーム施設整備等に伴い来園者数年間30万人増加！

既存の地域資源との連携等により交流人口年間50万人増加！

●経済波及効果の発生

駅周辺の店舗増加や、周辺商店街の店舗増加！

経済波及効果額年間15億円以上の発生！

●防災機能の向上

地域住民の避難場所の確保や停電時の非常用電源の確保！

（４）公園整備から脱炭素のまちづくりへ発展

今回の阪神タイガースファーム施設の移転をきっかけに、南部地域（阪神沿線）の官民連携のまちづくりを広げていくため、2021年12月に阪神電気鉄道株式会社としては初めて自治体とのまちづくりを目的とした協定として「尼崎市内の阪神沿線におけるまちづくりの推進に関する協定書」を締結し、尼崎市の南部地域のまちづくりを相互に連携・協力して取り組むことに合意した。

「尼崎市内の阪神沿線におけるまちづくりの推進に関する協定書」の概要

【連携項目】

- ●駅を中心としたまちづくりや交通機能の強化等に関すること
- ●地域資源を活用したまちの賑わいづくりに関すること
- ●都市防災の強化や暮らしの安全安心の向上に関すること
- ●その他、相互の連携・協力による取組みが必要と認められること

【連携項目に基づく主な取組内容】

- ●阪神尼崎駅～大物駅周辺の公園施設の再整備や駅前広場・高架下空間などの有効活用
- ●尼崎城などの観光資源と駅周辺施設との一体的な取組みの推進やプロモーション、連携イベント等の実施

●南海トラフ地震を想定した南部地域における津波等の一時避難場所の確保

図８　完成後の中央公園のイメージ

※完成イメージは現時点の案であり、今後変更となる可能性がある。
出所：尼崎市

6　企業の脱炭素経営に向けた支援

先程紹介した阪神グループと連携した脱炭素先行地域の取組は、全国の先行的な取組の位置付けであり、この取組に留まらず、地域に波及していくような仕掛けを取り組んでいくことが、尼崎市の責務である。

そのため、ここからは企業の脱炭素経営について具体的にどのように取り組んでおり、今後どのように広げていくのか紹介していく。

（１）現状の尼崎市の取組　～脱炭素経営に向けた伴走型支援～

尼崎市では、市内中小企業の脱炭素経営を推進するため、企業のエネルギー消費の現状把握から省エネルギー改善・設備導入までを切れ目なく伴走型で支援する取り組みを2022年６月から実施している。

具体的には、脱炭素経営にチャレンジする企業が、一般財団法人省エネルギーセンターが実施している省エネ最適化診断を受診し、自社の現状把握をした後に、エネルギーの専門家から、まずは費用のかからない範囲で省エネ運用改善を提案され、運用改善に取り組む。

その後、運用改善だけでは解決出来ない取組について、各企業が取組状況に応じ、省エネルギー設備や再生可能エネルギー設備の導入などについて提案を行い、その提案に基づいた設備導入に対して購入費用の一部を尼崎市から補助する制度を行っている。

本制度を市内企業が活用することで、エネルギーコストの削減につながるとともに、CO_2排出量の削減を行うことで、脱炭素経営を推進している。また、大規模な設備導入が必要な場合は、兵庫県や国が実施する補助金等制度の活用も併せた提案を行うことで、中小企業にとっては切れ目のない脱炭素経営支援を行っている。

本事業は2022年６月から希望企業の募集を開始したが、エネルギーコストの上昇もあって、当初の見込企業数の30社に約１ヵ月で到達し、非常にニーズが高いことが分かった。

また、支援制度活用後に、複数企業にヒアリングを行ったところ、運用改善だけでも大きなエネルギーコストの削減とCO_2排出量の削減に繋がったと喜びの声をいただいている。

（２）将来的な経営リスク

特に、尼崎市は製造業が多く立地している。製造業は、他の業種と比較して、多くのエネルギーを使い、CO_2排出量も多くなる傾向がある。また、サプライチェーンの中でも脱炭素経営を求められる傾向が強い業種でもあるため、グローバル社会の競争に負けないためにも、脱炭素経営が重要になっている。

現時点では大企業や一部の中小企業のみの影響に留まっている状況に見えるが、世界的に見ても、日本が脱炭素の取組に遅れている状況があり、将来的に、脱炭素に取り組まないリスクとして、取引機会の損失や、人材の確保、金融評価の低下など様々な経営リスクに繋がる可能性が高い。

既に、これらのリスクについてはコロナが落ち着きはじめたことにより、徐々に顕在化しているようにも思える。今後は労働力不足とともに、さらに厳しい状況になる可能性もあり、早期から取り組むことにより、補助金の活用などが可能となるため、取り組みやすい環境とも考えられる。

（3）伴走型支援の更なる拡充

尼崎市としても、今後、さらに企業の脱炭素化を進めていくため、より重点的に支援に取り組む必要がある。そのため、2023年度からは今の支援制度をさらに拡充して取り組むこととしている。

具体的には、これまでの伴走型支援に加えて、省エネ診断の前の段階として、自社の現在のCO_2排出量の可視化を支援していくことで、より具体的に数値目標を設定して取り組んでもらう仕組みを追加で行う。

さらに、2022年度に約１ヵ月で上限に達した省エネ最適化診断と並行して、新たに「簡易省エネ診断」を創設する。目的としては、更なる脱炭素経営の推進ではあるが、それと併せて、「簡易省エネ診断」の実施主体は市内の電気工事事業者等に担ってもらうことを想定しており、市内企業の育成と市内間企業のマッチングの促進にも繋がると期待している。

さらに、一定の基準を設けて積極的に脱炭素経営にチャレンジする企業を尼崎市が認証していく新たな制度も予定している。また、認証だけでは企業にとってチャレンジするきっかけとしてインパクトが薄いと考えているため、認証企業の魅力発信に力を入れて取り組んでいきたいと考えている。

具体的には、認証企業の動画や事例集などを作成し、尼崎市の産業・雇用就労オンラインシステムである「アマポータル」等を活用して、PRにつなげていくことで、企業の人材不足等にも寄与できる可能性があると考えている。

さらに、2025年の大阪・関西万博を契機に捉えて、脱炭素にチャレンジする認証企業のオープンファクトリーを開催することで、世界中へ脱炭素にチャレンジする尼崎市内の企業PRを行う絶好の機会だと考えて、2023年度試行的な開催に向けて調整している。

また、大阪・関西万博開催の2025年には、先程紹介した脱炭素先行地域である阪神タイガースファーム施設がオープンする予定であり、尼崎市にとってはシティプロモーションや交流人口の増加が期待出来るビッグチャンスが到来する。

その機会をしっかり捉えて、脱炭素を切り口に、タイガースファーム施設や市内企業をEVバスやシェアサイクルなどの環境に良い交通手段を使って巡ってもらうことにより、点を線に、線を面に広げていくような流れを作っていく（図９）。

図９　2023年度事業イメージ

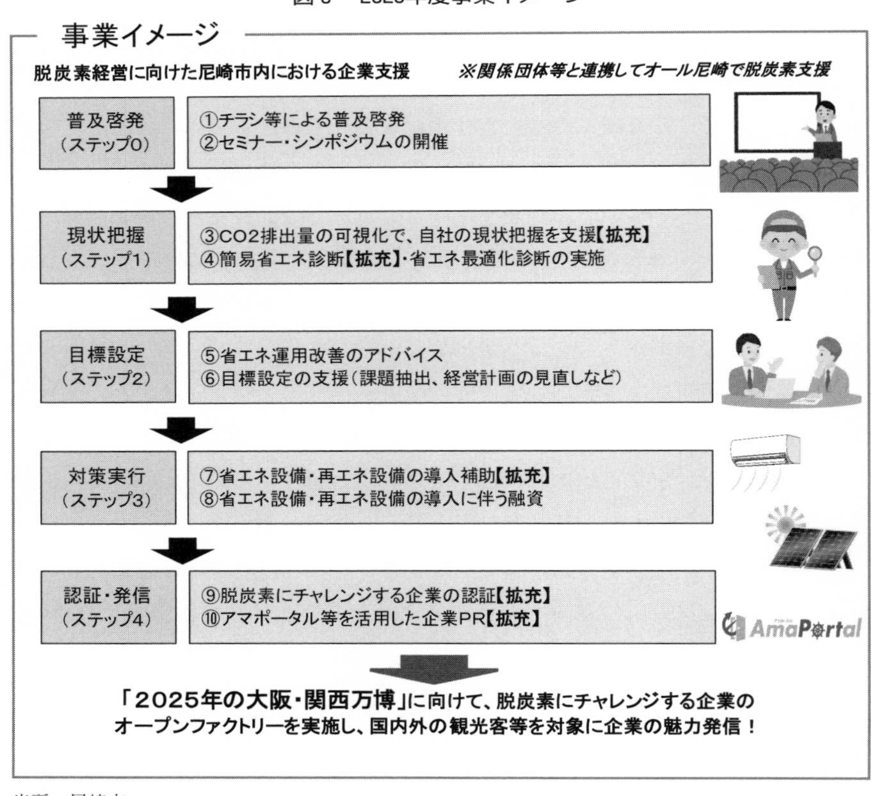

出所：尼崎市

7　さいごに

2050年の脱炭素社会の実現はとても大きくて、遠い目標ではあるが、今出来ることを確実に進めていくことで、将来的には大きなリスク回避になると確信して取組を推進している。

今後もウクライナ情勢や物価高騰など先が見えない不透明な時代ではあるが、脱炭素社会の流れには逆らえない状況の中で、変化が大きく厳しい今の時代だからこそ、ピンチは最大のチャンスと捉えて前に進んでいく企業の取組を応援したいと考えている。

[注]

（1）「ECO未来都市・尼崎」宣言団体（2010年11月29日宣言）：尼崎商工会議所、尼崎経営者協会、協同組合尼崎工業会、尼崎信用金庫、公益財団法人尼崎地域・産業活性化機構、尼崎市

（2） 2023年1月時点で、公共施設2施設を含め市内30事業者以上と契約し、電力を供給中。（現在需要家の募集は終了）

（3） 脱炭素先行地域とは、2050年カーボンニュートラルに向けて、民生部門（家庭部門及び業務その他部門）の電力消費に伴うCO_2排出の実質ゼロを実現し、運輸部門や熱利用等も含めてそのほかの温室効果ガス排出削減についても、我が国全体の2030年度目標と整合する削減を地域特性に応じて実現する地域。環境省は、脱炭素先行地域を少なくとも100か所を選定するとしている。

特集論文〈Ⅳ〉

総　括

X 尼崎経済の未来

加藤 恵正
公益財団法人 尼崎地域産業活性化機構 理事長
兵庫県立大学 特任教授

1 フットルース化が加速する「人」と「企業」

2022年6月、英国ロンドン・エコノミストの調査部門（Economist Intelligence Unit）は世界の住みやすい都市ランキングを発表した。1位はウイーンで、その後9位までヨーロッパとカナダの都市が席巻した。第10位には大阪が入っている。このランキングは、治安、医療、文化・環境などを指標化し住みやすさの国際比較を試みたものだが、興味深いのは毎年出されるランキングがかなりの変動を示していることだ。大阪市は2021年調査では世界第2位だった。グローバルな競争下、都市の住みよさを醸成するうえで都市政策は重要な役割を果たしているといっていいのだろう。

居住地の選択が、都市の持つ「創造性」と強く関わっていると指摘したのは、都市経済学者のリチャード・フロリダだ。「職業やキャリアの選択、あるいは伴侶を見つけることが人生にとってどれだけ重要か、私たちの誰もが認識している。（中略）そのうえで、第三の大きな選択となるのは、私たち自身と家族が「どこに」住むのかということである。この第三の決断は、人生のあらゆる側面に対して重大かつ長期的な影響を及ぼす……」[(1)]。かつて創造都市論を展開したフロリダは、どこに住むのかの選択は、「……職業的成功や仕事上の人脈から、幸福感や快適な暮らしに至るまでのすべてを決定する」と主張する。創造都市という視点は、今日ではやや旧聞に属するとはいえ、いまなお次世代都市のイメージを象徴するものといってもよい。

居住地の選択が可能な職場は働く人にとって魅力的だ。人材の確保に向けて、企業も動き始めた。NTTは社員の勤務場所を原則として自宅とする新制度を2022年7月から導入。グループ会社を含め約3万人が対象となっている。国内ならどこでも「自宅」を選択でき、出社が必要な場合は「出張」、交通費の上限はなく飛行機での出社も認めるという。「仕事は都心オフィスで……」という「常識」は消滅したともいえそうだ。この他にも、メルカリ、ヤフー、アクセンチュアなどがテレワークを基本とすると発表している。2021年実施された東京都の調査では、7割以上の企業がテレワークの継続ないし拡大を予定している。

組織で働く人たちの居住地選択自由度拡大の一方、企業自身が地方に立地する動きも顕在化している。人材派遣会社パソナを中核とする（株）パソナグループは、東京都から淡路島に本社主要機能を移転することを公表したことはよく知られている。既に、同社では多くの従業員が淡路島に移住。2023年度末までには本社勤務の多くも移転するという。淡路島に移住してきた従業員の「満足度」も高いとマスコミ等も報じている。それでは企業の東京から「脱出」の実態はどのような状況なのか。帝国データバンクによれば、2021年1－6月間に判明した首都圏外へ本社を移転した企業数は186社。6月時点で150社を超えたのは過去10年間で初めてという。近年のコロナ禍が企業の行動に影響を与えていることは明らかだ。こうした傾向が一過性の変化に終わらず今後継続するのかについては注視が必要だが、いずれにせよコロナ前の状況に単純に回帰することはないと考えてよいだろう。

今後、人、企業はますますその移動性を高めていくことになる。都市は、かかる「変化」を受け止めなければならない。これまで、どちらかというと人や企業の「固定化」を是としてきたまちづくりは、今後、その視点を大きく転換していくことになる。オンライン／ネット社会における、都市の魅力づくりが問われている。これから、われわれはかかる状況下での分散型集積（分積）型都市／地域形成を目指すことになろう。

本稿の目的は、こうした大きな「変化」の潮流下にある尼崎経済を念頭に、流動性が高まる企業行動／人材の移動によって形成されるイノベーション・ハブ構築に向けた課題を整理することにある。まず、コロナ禍で顕在化した企業や人の流動性の高まりやオンライン社会の可能性について概観したうえで、こうした企業／人を魅了する都市／地域を、イノベーション・エコシステムが支えるイノベーション・ハブと定義する。次に、イノベーション・ハブ形成が阻害される背景に、都市・地域社会経済システムが硬直化した（負のロック・イン）状態があることを明示したうえで、「負のロック・イン」を解除することを提案する。さらに、実際に尼崎においてかかる「負のロック・イン」解除の展望を整理し、次世代の戦略的都市経済政策に言及した。

2　「企業」はどこに向かうのか？

(1) イノベーション・ハブ形成

「過去半世紀、アメリカ経済は、物理的な製品をつくることを中心とする産業構造から、イノベーションと知識を生み出すことを中心とする産業構造へと転換してきた。……（中　略）……このような経済変容は、地域間・都市間で雇用と人口と富の移動を空前の規模で引き起こし始めている」。都市の盛衰を米国での経験から巧みに説明したエンリコ・モレッティは「イノベーション・ハブ（イノベーションの拠点）」の成長力が「勝者」と「敗者」の格差を加速度的に拡大していると指摘したのである(2)。モレッティは、イノベーション・ハブを形成するための都市の３条件、「規模の経済を発揮する流動性の高い厚みのある労働市場」「資金調達など専門的サービスの局地的立地を重視するビジネスのエコ・システムの存在」、そして「創造性に富んだ人々が交じり合う相互学習による知識の伝播」を示した。イノベーションと知識創造が都市の生産性の源泉となっているという指摘は、必ずしも目新しいものではないが、日本において産官学一体となって明確にこの方向を指向し、その現実化に向けて踏み出している都市は多くない。モレッティは、高い生産性を堅持し技術革新に意欲的な企業や産業は、創造性に富む人材の輩出・集積と強く関わっていることを多くの研究成果や事例や明らかにしたのである。

一方、こうした成長拠点の構成要素として「人」に着目したのが、日本政府の「人生100年時代構想会議」メンバーでもあるリンダ・グラットンだ。彼女は「ネット社会の到来は空間のフラット化ではなく、逆に「近さ」の価値を高めている。質の高いアイデアと高度なスキルの持ち主のそばに身を置くことの重要性が高まっている」と主張する。こうした「イノベーション・ハブ」（グラットンはこれをスマート・シティと呼称している）は、地元大学の卒業生らが形成する集積が出発点となるケースが多いという。高いスキルの人材集積によって、おのずと企業はそのまちに引き寄せられることになる(3)。都市経済の未来を考えると、大企業の役割はなお大きいが、少数精鋭の人材を擁する新興・スタートアップ企業が形成する新たな都市／地域経済システムの構築は必須といってよい。

（2）都市経済の構図

それでは、モレッティが指摘するイノベーション・ハブの形成の課題はなになのか。

コロナ禍、ウクライナ戦争など、これまで経験しなかった世界全体を巻き込む巨大で急激な潮流変化の中で、都市の経済も大きく影響を受け、将来への展望をも見失っているかのようだ。アフターコロナ下の尼崎経済を考えるうえで、もっとも重要な論点は、急進する知識経済・情報経済下における地域産業政策のあり方だ。近年、世界的に「新産業地域」「地域イノベーション・システム」「産業クラスター」など新たな産業集積論が顕在化しており、現在では、イノベーション・エコシステムといった表現が一般化している。ここで、共通するのは、特定の分野における関連企業・機関群が地理的に集中し、相互に競争と協力している「関係性」の在り方だ。イノベーションのインフラともいうべきこうした「関係性」の存在こそが、都市／地域経済の核となるというものだ。実際には、地域固有の社会経済資源を再編成することで、競争優位を顕在化させ、地域産業のダイナミズムを刺激することにある。これからの地域産業政策は、「全国各地に国際競争力を有し、生産性を高め、イノベーションを生み出すような産業クラスター形成を促すことであり、そのためには地方に蓄積されてきた企業群、大学、社会資本を有効活用することによって、発展する可能性の高い地域、産業を集中的に政策支援する」[4]ことに尽きるといって過言ではない。こうしたイノベーション・エコシステムの成長こそ、これからの都市経済発展の基軸なのである。OECDは、その核心となるのは「コネクション（結びつきや関係性）」のあり方だと指摘する。都市／地域内の多様な主体間の関係性が硬直化したとき、イノベーション・エコシステムはその成長を止めてしまう。尼崎経済発展において、こうしたかつて繁栄した時のまま硬直化した関係性の再編成をしなければならない。

かかる視点から、日本の都市・地域で顕在化している大きな課題は「負のロック・イン」である。空間経済学者の藤田は、都市の自己増殖的優位から、集積自体が立地する空間にロック・イン（凍結効果）を生じさせる。初期には成長を促す"正の効果"を持つが、長期的には集積の変化や核心を阻害する"負の効果"を及ぼす可能性があると指摘する[5]。かつて、尼崎など日本の高度経済成長を支えた都市や地域の経済は、その多くが様々な「負のロック・イン」に直面している。

3　都市の衰退と「負のロック・イン」

「強いつながりの脆弱さ（The weakness of strong ties)」。古い産業地域が次の発展に向かうとき陥る罠をG. Grabherはこのように呼んだ。都市の盛衰を牽引するのは産業活動である。産業空間の衰退に関わる議論は、これまで成長や発展に関しては経済学等からも多くの理論が提示され分析が進んできたが、衰退局面に関しては一部を除き十分な検討が行われたとは言いがたいのが実態である[6]。1993年、Grabherはドイツのルール工業地帯を事例に産業空間衰退のメカニズムを明らかにし、その後のOIA（Old Industrial Area）やRustBeltと呼称される古い産業地域・都市研究の問題を進化経済学からアプローチしたのである[7]。

こうした地域が衰退に転じた背景として、Grabherは「産業の発展を促す地域の雰囲気」「高度に発展し洗練されたインフラ」「稠密に形成された企業間の連関関係」「政治的な支援」といったかつてその地域を繁栄に導いた強みとも言える要素群がロック・インされることによって、逆に発展のエンジンとも言える地域イノベーションを押さえ込むことになったことを指摘した。こうした要素群は、各々が「強いつながり」によって巧みに構築され、地域経済の成功・繁栄に大きく寄与してきたが、次代の流れの中で硬直化の罠に陥ったと指摘する。実際には、「機能的ロック・イン」「認知的ロック・イン」「政治的ロック・イン」という3つの負のロック・インが作用したと分析している（その後、ラストベルトでの研究蓄積から、空間的ロック・インの存在があらたに指摘されることとなる）。

機能的ロック・インとは、地域内に埋め込まれ安定した（固有の人間関係をベースに形成されたものを含む）長期継続取引の結果、組織の壁を乗り越えた新市場の開拓や技術革新（boundary-spanning functions）が消失した状況を指している。認知的ロック・インは、地域内に形成された密度の濃い企業間の関係性が、結果的にもたらす地域の硬直化を意味している。その背後には、技術の理解、契約ルール、コミュニケーション時の知識などに共通した「言語」を有していることがある。しかし、地域で共有された固有の「視野」は、異なる文化や考え方がもたらすイノベーションへの契機を失わせてしまう。地域内での関係性（bonding relationship）はより強いものへと促されるが、一方で地域外や異なる視点との関係性（bridging relationship）を排除するかもしれない。制度（政治）的ロック・インは、産業と地方政府、労働組合、経済団体の関係性に関わっている。これらは、公式・非公式に強く結ばれており、地域産業全体の転換期においてその柔軟性を失わせることになる。なお、Grabherは、当時のルール地方の再生、すなわち負のロック・イン解凍への手がかりとして形成されたつながりに柔軟性（redundancy）をもたせること、緩やかなネットワーク化の必要性を提案している。こうした政策の方向性に現時点では目新しさはないが、一旦繁栄した地域や都市の衰退のメカニズムについては、今なお示唆的である。Grabherの視点は、都市衰退メカニズムを解明する重要なアプローチとして、世界的に展開していくことになる。

また、新たに着目されることとなった空間的ロック・インは、インフラのあり方と関わっている。地域経済の進化は、これを支えるインフラストラクチャーの再編と呼応している。工業化を支えたインフラは、地域経済の変化・再生の過程で大胆な見直しが必要である。それは臨海部の産業地域と都市部を隔ててきた産業用道路もそのひとつだ。都市経済がツーリズムなど集客型への指向を強めており、親水空間としてのウォータ・フロントへの転換は喫緊の課題と言わなければならない。創造都市に求められるインフラの再構築が必要である。たとえば、R. Hassink は、その後の世界的な OIA 研究の蓄積によって、そのタイプによって多様な負のロック・インの組み合わせがあることを明らかにしている(8)。筆者は、大阪湾ベイエリアを事例に、日本での負のロック・インについて論及したことがある(9)。

それでは、都市の未来を検討する上で、負のロック・インをどのように捉え、またこれをいかに制御していくのか。

4　負のロック・インを克服する ——イノベーション尼崎へ——

尼崎の産業／経済に関わる政策課題は、先述のロック・インされた領域を再編成することにある。ここでは負のロック・インを解除するための構図を、地域の３つのプレイヤーの関係性から示した（図１）。第一は、企業のイノベーション行動と関わっている。企業の R&D は、企業の経済活動の核心でもある。近年、こうした創造領域の複雑化・加速度的変化などから１企業単体で担う限界が指摘されている。企業「秘密」のオープン・クローズ戦略は、これからの中小企業経営において必須である。

第二のプレイヤーは人である。ここでは、地域における労働市場を取り上げる。労働市場は、これまで基本的には国民経済のマクロ的視点から議論されてきた。しかし、実際には多様な地域労働市場こそが議論すべき対象のはずだ。本稿では、尼崎地域労働市場を念頭に、地域の実情に則した労働市場政策について検討を行うことにしたい。第三の主体は、地方自治体である。ここでは、自治体が担う産業政策に着目していきたい。

自治体の役割は、尼崎産業／経済がSDGsの潮流が機動するための制度・仕組みの形成にある。これは2015年９月に国連サミットの中で決められた2030年までの長期的な開発の指針であり、国際社会共通の目標だ。実際には、SDGsは「17の目標」と「169のターゲット（具体目標）」で構成されており、今、世界各国・企業がその実現に向けて様々な努力を積み重ねつつある。今後、SDGsはビジネスを行う上での取引条件となる可能性も大きいと考えてよいだろう。一方、新たな事業機会が創出されるなどの役割を果たすことにもなろう。活力を強化しつつある尼崎の企業群が、地域経済をも巻き込むこうした世界的潮流にいち早く気づき、先行して取り組みことに期待したい。その際、尼崎産業の未来を構想する地元自治体の広義の経済政策の視点と結びついていることを閑却してはならない。

次世代の都市／地域経済は、企業がプレイヤーである市場と、政府・自治体などが担う公共セクター、そして市民グループやNPO等による市民セクターが連携し、場合によっては融合しながら形成・発展・成長を遂げることになる。直面するウィズコロナ社会における次世代都市産業のあり方、政策のあり方に関わる議論は喫緊の課題だ。

図１　尼崎の再生を阻む「負のロック・イン」構造と政策の方向性

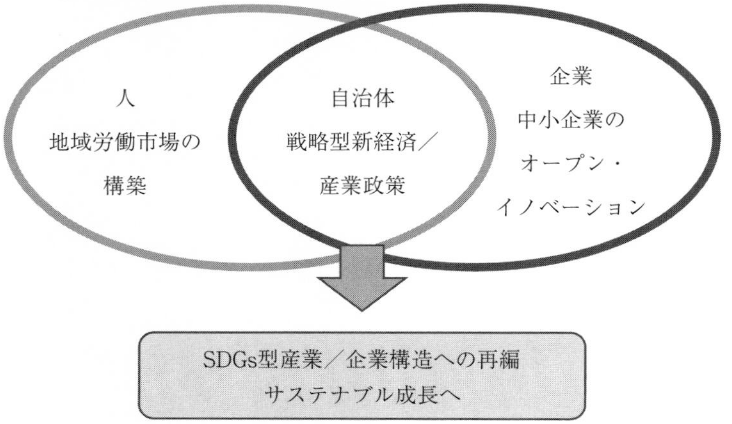

人
地域労働市場の
構築

自治体
戦略型新経済／
産業政策

企業
中小企業の
オープン・
イノベーション

SDGs型産業／企業構造への再編
サステナブル成長へ

出所：筆者

表1　尼崎における「負のロック・イン」と政策の方向性

	尼崎市	
	負のロック・イン	ロック・イン解除の方向
人	地域労働市場の欠落、積極的労働市場政策の欠落	尼崎地域労働市場における公共・企業・大学連携型「積極的労働市場政策」確立へ
企業	企業連携（スポット型）の欠如、とりわけR&D連携の発想はなし	企業連携型オープン・イノベーションの形成に向けて、尼崎に立地する研究機関などの組織をネットワーク化
自治体	政策の硬直化、既得権擁護・漸進型政策に終始。縦割りの非効率	戦略的新経済／産業政策へ

出所：筆者作成

5　中小企業のオープン・イノベーション ——尼崎市における「負のロック・イン」解除を念頭に——

（1）産業集積からイノベーション・エコシステムへ

「オープンイノベーションとは、組織内部のイノベーションを促進するために、意図的かつ積極的に内部と外部の技術やアイデアなどの資源の流出入を活用し、その結果組織内で創出したイノベーションを組織外に展開する市場機会を増やすことである」[(10)]。イノベーション創発手法として、オープンイノベーションはそれまでの自前主義の限界もあり多くの関心を集めてきた。近年では、デジタル経済の加速を背景に、「キーストーンと呼ばれる中心となる企業に、様々な企業が繋がってイノベーションのエコシステムを形成」するオープンイノベーション3.0の段階にあるという[(11)]。本書においても、「オープンイノベーション」は編纂にあたってのキイワードでもある。

さて、こうしたイノベーション創発に関わる企業間の関係性をみると、これまでにも産業の増殖機構として長く着目されてきた「集積」と形態上近似していることがわかる。かつて、筆者はこうした大都市内部に存立する集積について、次のような視点と分析枠組みを提示した。「多くの生産活動は、様々な企業間の複雑に入り組んだ分業のもとで行われ、生産された商品も多様な経路で流通している。したがって、こうした生産活動においては社会ないし地域全体としてみたとき、1企業の計画的な意志決定が働く余地は小さい。もちろん、個々の企業間の関係は資本的なつながりから、単なる取引関係まで多様であるが、われわれの考える社会的分業とはこうした相互依存的取引関係全体を指している。したがって、社会的分業構造の解明には企業相互間の取引関係の検討が不可欠である」。

筆者は、都市工業の存立基盤としての社会的分業をとらえるうえで、図2に示すような2つの軸からなる枠組みを想定することにした。横軸は取引企業間の生産ないしは技術的側面に関するものである。すなわち、取引の要因が、受注者が発注者にない特殊技術・設備を保有していることを示唆している。換言すれば、発注者に対する受注者の技術的な依存性、従属性を含意する尺度であり、技術的結合の強度を反映する。

横軸は販路的結合の強度にかかわっており、受注先が特定の企業に限定されるのか、あるいは複数の企業に分散されているのか、の違いに着目したものである。前者の場合には技術力にかかわらず発注者の組織の一員としての特性を示し、特定企業を頂点とする垂直的階層的関係が強い。後者の場合には少なくとも製品の販路という面では発注者に対する依存の程度は小さく、したがって取引関係は錯綜しネットワーク的な関係を示すことになる。換言すれば、この次元は市場としての依存性、従属性を含意するものといえる。これら2つの軸によって、従来議論されてきた社会的分業における特徴的な企業（工場）を位置づけることが可能となる。たとえば、専門加工企業はⅠに、また、様々な技術水準の専属的下請企業はⅡ、Ⅲにそれぞれ対応させることができよう。

こうした社会的分業は、実際の取引連関関係として重層的なネットワークを形成し、経済的活動に付随する様々なインフォーマル・チャネルとして都市経済のいわばソフト・インフラとして機能してきた(12)。一方、細分化された「関係性」は、技術・製品革新の点でマイナスであったことも否めない。生産

図２　大都市中小零細事業所における社会的分業の枠組み

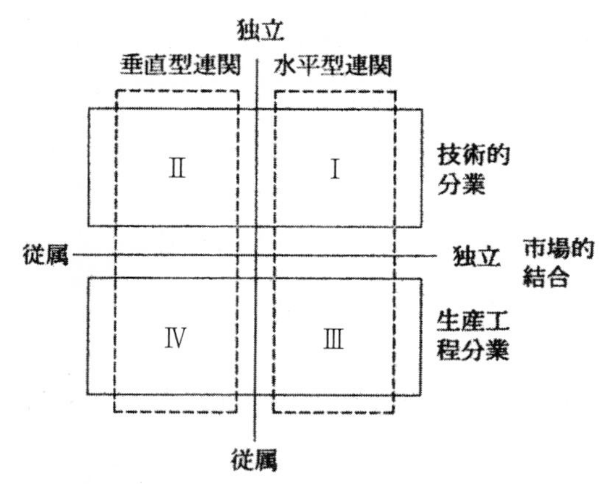

出所：筆者作成

工程の細分化は、個々の事業者の革新への動機を弱体化させた。その閉鎖性によりメリットを享受してきた地域産業の優位性は、グローバル化・情報化の急進の過程で急速に力を失っていくことになった。

こうして、70-80年代に興隆した大都市内部の産業集積は、それを構成する企業間の関係性が硬直化し進化の契機を失ったためにその枠割を果たすことができなくなった。しかし、地域内部に形成された企業間の広義のつながりは形骸化し、産業のダイナミズムを支える役割としては機能を失ったが、地域内部の「つながり」への視点は現在も地域に埋め込まれているといってよい。課題は、それまでの社会経済情勢の変化に柔軟に対応し、安価なモノづくりを支えてきた社会的分業を、いかにイノベーション指向型のイノベーション・エコシステムとしての関係性に進化させるのかにある。

（2）尼崎型イノベーション・エコシステム構築へ

こうしてみると、大阪湾ベイエリアの湾奥部に位置する尼崎市は、イノベーション・エコシステムを形成するうえで独自の蓄積を有している(13)。かつての社会的分業の構図をベースに、ここをそれまでの工程間分業に偏った関係性から、技術的分業にシフトしつつ、イノベーションの創発に弱い中小企業群と大学・研究機関等との結びつきを強化する施策が必要だ。その際、ベースである社会的分業と連携・連動する構図を政策形成の過程で強く意識しておく必要があろう（図３参照）。

図３　尼崎におけるイノベーション・エコシステム

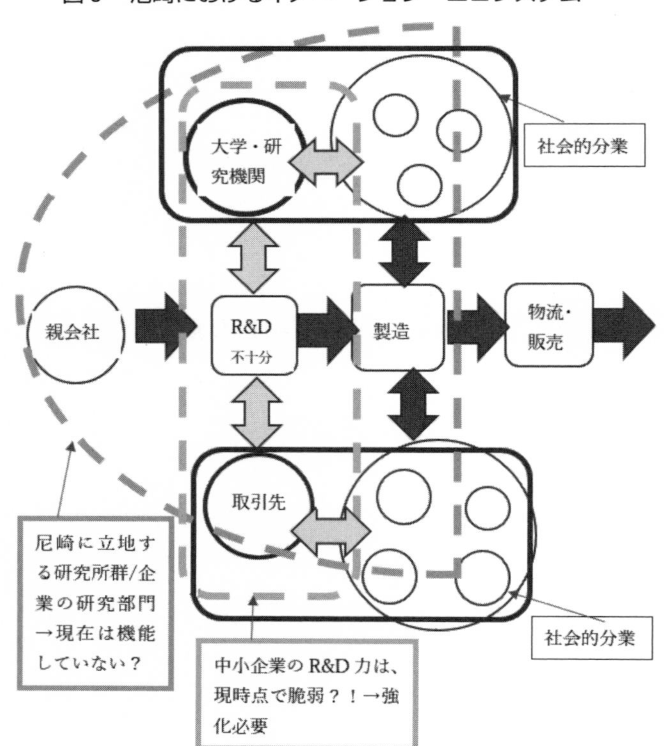

出所：筆者作成

6　人材への投資：地域労働市場形成に向けて

（1）労働市場における負のロック・イン

雇用は生産の派生需要である。生産活動からの需要ということは、生産活動のあり方、その変化、あるいはよりマクロな視点から経済・社会環境の変化が、雇用や仕事に直接・間接に影響するということだ。生産と労働がコインの両面とすれば、労働市場が効率的に機能することが、経済全体のパフォーマンスを高めることに他ならない。

しかし、日本の労働市場のダイナミズムは弱体化している。コロナ禍以前から、大きな問題を抱えているからだ。第1に、日本の労働市場が資本主義経済の構造変化に対応できなかった点を指摘しなければならない。たとえば、諸富は資本主義経済をもっともダイナミックに動かしていく要因として「無形資産」に着目する(14)。イノベーションの喚起・継続が核心にあるが、その際、人的資本がきわめて重要となることは自明だ。労働市場は、「人」に投資を行うことでその質的向上をはかるとともに、安全で安心な就業環境を保証する仕組みを提供する必要がある。1980年代の日本経済興隆期、工場や機械に投資を集中させることで効率的生産を実現してきた時代の産業風土が今なお幅を利かせている。日本の企業、そして日本経済はその転換に失敗した。労働市場はかかる変化に呼応できなかった。

労働市場は、日本の歴史的・社会的・文化的背景から、制度・仕組みが相互補完的に形成されており、これを解きほぐすことはきわめて困難といわなければならない。1980年代に栄華を極めた日本経済の姿を、改革・進化させることなく現在に至っている典型的市場といってよいだろう。負のロック・インである。

ここでは、これまで日本では閉却されてきた「地域」労働市場に焦点を当て、その柔軟性・流動性の問題を取り上げることにした。

(2) 地域労働市場の台頭と政策

S. Giguere は、従来の雇用政策の限界として、政府による画一施策が地域の需要サイドの要請を反映することが困難であること、政府の縦割り施策により政策間の連携・融合が十分図られないこと、少子高齢化のためにこれまでの労働力の地域間移動ではその需給ギャップが埋められないことなどから、地域のイニシアチブによる雇用促進の必要性を指摘している[(15)]。そこでは、地域ガバナンスの改善の重要性を指摘するとともに、知識基盤構築による地域自らが雇用を創出すること、労働市場政策と経済開発政策の連携、地域が各々独自の雇用政策を展開する必要性などを指摘したのである。

地域における雇用就業への取り組みを本格的にスタートすべきときがきた。「そもそも地域レベルでの雇用政策とは何なのか」。渡邊は市町村における雇用政策の取り組みに関してこう指摘している[(16)]。地域における雇用就業政策として「就業の質の確保」や「多様な選択肢の提供」といった視点の設定やこれに基づく具体的な戦略は、わが国労働市場全体の問題であるが、一方、自治体がイニシアチブを取って地域固有の課題に対応するために「現場」において具体的に設定し、また機動することができる。地域雇用政策の可能性について議論する佐口は、自治体独自の雇用創出プランを「産業振興策に埋没したものでもなく、離職者を事後的に救済するだけの雇用対策でもない領域が成立しつつあるのかもしれない」と指摘している。ただ、こうしたプランが、実現手段の有効性や諸プランの整合性などからその実現可能性については問題があるとの認識を示している[(17)]。

これまで雇用就業に関わる政策は基本的には政府によって制度設計が行われてきた。しかし、現下のわが国の社会経済環境とその変化は、政府の一元管理型雇用就業政策では地域の多様性や変化に十分には対応できないことを明示したといってよい。地域のイニシアチブによる地域の固有の課題に機動的に即応する雇用就業政策策定は、今後不可避の課題であるが、きわめて多様な要素が絡み合って形成されている地域の労働市場に効果的かつ効率的に対処するためには、新規・既往の施策群を柔軟にパッケージ化することによって課題に的確に対応する視点が必要である。こうした視点はCPO（Co-ordination Policy Options）型政策として、その重要性が指摘されてきたところである(18)。実際には、多様な分野・主体間の調整・連携を行いつつ、政策パッケージを構築することが狙いで、たとえば政府と自治体政策の連携、地域内部における複数領域間の調整・連携を指している(19)。

（3）積極的労働市場政策と地域労働市場

① 地域労働市場の流動化と積極的労働市場政策

積極的労働市場政策（Active Labour Market Policy）とは、公共職業安定所や職業訓練施設等を利用し就職相談や職業訓練等を実施することにより、失業者を労働市場に復帰させる政策。一方、消極的労働市場政策は、失業者に失業手当等を提供する政策や早期退職により新たな雇用の余地を生み出す政策をさしている（OECD）。積極的労働市場政策は、日本においても一部導入されているが必ずしも十分な成果をあげているわけではない。

積極的労働市場政策において、まず「働き手」の就業能力強化が地域労働市場機能の効率化に向けて重要である。そのための内外の労働市場を連携させる政策対応が求められる。内外の労働市場はその間を労働力の需給調整機関が介在することによって、労働移動にともなう働き手のリスク最小化が図られることになるが、伝統的には需給ミスマッチ解消をいかに迅速に行うかが最重要ポイントであった。摩擦的なミスマッチであれば、情報共有の仕組みや介在機関の能力向上が要件となるが、構造的なものであれば時間をかけても人的資本市場における教育機関との連携という構図を明確にしたうえで、人々の能力開発・再教育が重要となる。その際、企業／社会が求める雇用に対し、外部労働市場がこれにこたえる形で「就業能力強化」機能を有しておくことが必要だ。内外の労働市場において働き手の市場価値を共有することによって、個別企業内だけでの人材の配置という従来の考え方から、地域内で人材の流動化を促すことが可能となり、結果として地域内でのセイフティ・ネットとして機能することとなる。内外労働市場の接点拡大による労働市場の流動化は、人材が不足する中小企業などに対し、地域独自の視点から支援する仕組みづくりにも寄与することとなる。

積極的労働市場政策において、施策間連携は重要だ。それは、個別自治体内における異分野間での連携だけではなく、政府・県の政策群との稠密な連携をも意味している。労働市場政策がこれまで主として政府が所管していたことを勘案すると、自治体が単独で実施する都市・地域政策に加え政府等との連携によるCPO型アプローチは不可避である。さらに、単年度ではなく複数年にわたる中・長期的戦略としての位置づけが必要である。人材の育成、企業風土の変革など、実際には世界的な視野からの地域の社会経済システム再編としての地域政策の位置づけが求められる。

② 広域経済圏における積極的労働市場政策の可能性

「労働市場にたいする政府による画一政策は、地域の需要を的確に反映できない」（再掲、S. Giguere）との指摘は、日本のこれまでの雇用政策のあり方を根本から見直す必要性を示唆している。硬直化した日本の労働市場を地域から突破口を開く必要がある。ただ、労働市場と政策に関わる成功例として扱われているデンマークや北欧諸国が構築したの「黄金の三角形」を、日本における地域労働市場の展開方向として検討するには課題と制約が多いが、ここでは、こうした事例を参考にしつつ、最後にあらためて「労働市場の柔軟化・流動化」という視点から、日本の地域経済の実情に則した政策を提案することにした。

第1は、地域労働市場流動化を加速することだ[(20)]。衰退産業から成長産業への雇用のシフトは産業構造の転換・進化においてきわめて重要である。また、個人が最適なキャリアを実現するうえでも、流動性の高い労働市場は働く人々に多くの選択肢を提供できる。これまで、地域労働市場に関わって「流動化」を議論した例はない。

第2は、労働市場の流動化を図る土俵として、広域プラットフォームが必要だ。労働市場の情報共有・連携は、地域を構成する産学公を核心とする多様な主体群による稠密なものでなくてはならない。たとえば、労働市場の枠内においても、日本においては、外部労働市場と内部労働市場の接点は小さい。日本の場合、学卒者がいったん企業などに入ると、個別組織の内部労働市場から出てこないことを伝統的に前提としていた[21]。したがって、外部労働市場はきわめて未成熟である。しかし、グローバルな社会経済環境の変化は大きく、日本固有のこうした市場のあり方は陳腐化してきている。その意味で、教育領域と労働市場の接点は、今後ますます重要なものとなる。たとえば、新型コロナウイルス後の経済活動を展望するなかで、リスキリング（石原直子「新しい職業に就くために、あるいは、今の職業で必要とされるスキルの大幅な変化に適応するために、必要なスキルを獲得する／させること」）が重視されてきている。コロナ禍による産業構造の変化によって、成長部門への人材のシフトが生じるためだ。その際、移動人材の再教育、新しいスキルの獲得は必須であり、新たな力を確保した人々によって経済成長が刺激されるという構図が描かれている。実際、世界の主要国がこのリスキリングに踏み出してきている。英国のライフタイム・スキルズ・ギャランティー（生涯技能保障）、米国の米国雇用計画などの他、シンガポール、デンマーク、スウエーデン、フランス、韓国などでもリスキリングのためのプログラムが既に稼働しているという[22]。外部労働市場が未成熟な日本では「働く」ことの変化・進化に対して投資をするということにもともと冷淡であった。それは、内部労働市場の問題として公共が手を出さなかったからだ。これからの地域経済を考えるうえで、こうした内部労働市場と外部労働市場の「重なり」領域は拡大していくことになる。産業構造や社会・文化が異なる多様な地域に対し、政府が一律に制度を作ることは効率的ではない。地域自らがもっとも効果的な制度構築を行うべきだ。リンダ・グラットンは、こうした「働き方」のシフトを、「ゼネラリストから「連続スペシャリスト」へ」と表現している[23]。

こうしたプラットフォーム形成には、現在の日本の状況を前提とすると困難は多い。たとえば、関西広域連合にしても、組織が形成されているとはいえ実態は構成自治体の「寄せ集め」感はぬぐえない。「結束」強化が必要である。自治体間の関係性について、形式的な段階からより関係性が強化されることで様々な調整の可能性を探る段階、問題への対応に際し各自治体の資源を共有するさらに進んだ関係、そして協働型意思決定を行う連携型予算をも組み込む組織融合に近い段階などの類型化を提示している。今後、情報化技術をも駆使した大胆な手法の開発・実施が望まれる。さらに、教育と産業のように異なる主体間の緊密な連携も必要だ。それは個別自治体での取り組みよりはるかに困難は大きいと思われる。近年、こうしたアプローチは、トリプル・ヘリックス／クワトロ・ヘリックスとして地域イノベーション・システムの中核として着目されてきている。

7　戦略的都市経済政策へ
――イノベーション創発のためのクワトロ・ヘリックスを……

「都市の発展は、インプロヴィゼーション（improvisation）を伴う前例のない仕事への「漂流」である」[(24)]。都市の発展メカニズムがその多様性と絶えざる変化からうみだされる創造性にあることを既に半世紀以上前に指摘したジャーナリストのJ. ジェイコブスは、その後、人類学者梅棹忠夫の「漂流の美学」を援用しつつ、（「生きた音楽を創造する行為」としてのジャズの即興演奏を意味する）インプロヴィゼーションといった作用が都市のなかで機能したとき、それこそが都市の発展の引き金となると指摘した。こうした変化への機動的・創造的即応こそが、都市のダイナミズムの根幹といってよい。それは、都市におけるイノベーションの源泉なのである。尼崎の発展のエンジンであるイノベーションをいかに創出し、これをどのように市民の豊かさに結びつけるのかにかかっている。

都市の活性化の鍵は、そこに有する資源を効率的かつ有効に使うことにある。ただ、実際には経済資源とそれらの関係性は、外部環境の変化に呼応して変化し続けている。かかるダイナミズムに対してインプロヴィゼーションをいかに起動するのかが都市や地域の発展と大きく関わっている。ポイントは、既得権などによって陳腐化した制度を廃し、活力を創出するための新たな仕組み作りを行うなど、硬直化した都市を柔軟に機能させる視点にある。こうした都市における経済集積をここでは、都市イノベーション・システムと呼ぶことにしたい。インプロヴィゼーションの消失や弱体化は、都市イノベーション・システムを硬直化させ、そのダイナミズムの低下、そして都市の衰退という経路をたどることになる。都市政策の役割は、インプロヴィゼーションの刺激とそれに伴って機動する都市イノベーション・システムのマネジメントにある。

では、こうした都市の動きを可能にするためには何が必要なのか？　現代産業の進化において異なる主体間の緊密な連携は必須である。都市のイノベーション・エコシステムのプラットフォームとしてトリプル・ヘリックスがこれまでにも着目されてきた。トリプル・ヘリックスとは、企業、大学、公共（政府や地方自治体）が相互に強力に連携・交流することによって、イノベーションを創出する関係性を示している。さらに、「関連した多様性（related variety)」をベースとしたプラットフォームとしての役割をも果たすことになろう[(25)]。

関連した多様性とは、相互に補完的で一定の共通の関係性をもっていることを示しており、こうして形成される集積は新たな知識や情報が生み出され、また業種を越えたイノベーションの創発が期待される。様々な主体が連携して構成されるトリプル・ヘリックスは、まさしく都市におけるイノベーション・エコシステムのプラットフォームの役割を果たしているのである[(26)]。もっとも、こうした視点自体は古くから議論されてきたものであり特に目新しいものではないが、多くの実践例の存在にもかかわらず成功例は限定されている。異なる文化の主体が相互に情報共有しこれがイノベーションに結びつくことがいかに困難かを示唆している。

尼崎市の場合、これまで産業都市として形成されてきた過程で蓄積された有形・無形の関係性が、現在では緩やかで柔軟なネットワークを形成してきている。こうした集積が圏域全体の創造力形成のためのソフト・インフラとして機能することに期待したい。今後、産官学連携意味するトリプル・ヘリックスは、新たに「市民セクター」を加えたクワトロ・ヘリックスへの進化を加速させることが課題だ。

なお、本稿は『広域経済圏活性化による経済成長戦略――関西圏「再生・進化」への広域経済戦略』((公財) ひょうご震災記念21世紀研究機構 政策研究プロジェクトリーダー 加藤恵正)[27]所収の加藤執筆担当をもとに大幅に加筆修正したものである。

[注]

(1) リチャード・フロリダ『クリエイティブ都市論』井口典夫訳、ダイヤモンド社、2009年。

(2) エンリコ・モレッティ『年収は「住むところ」で決まる』池村千秋訳、プレジデント社、2014年。

(3) リンダ・グラットン『ワーク・シフト』池村千秋訳、プレジデント社、2012。

(4) 山﨑朗「人口減少時代の地域政策」、『経済地理学年報』55、35-44、2009。

(5) 藤田昌久「日本の産業クラスター」石倉陽子・藤田昌久他著『日本の産業クラスター戦略――地域における競争優位の確立――』有斐閣、15-34頁、2003。

(6) 近年、進化経済地理学において都市の盛衰メカニズムに関する研究蓄積が進んでいる。外枦保大介 (2012)「進化経済地理学の発展経路と可能性」地理学評論85-1、40-57頁。Boschma, Ron and Martin, Ron, (eds.) (2010), *The Handbook of Evolutionary Economic Geography*, Edward Elgar.

(7) Grabher, G. 'The Weakness of Strong Ties : The Lock-in of Regional development in The Ruhr Area', Grabher. G. ed. *The Embedded firm ; On the Socioeconomics of industrial Networks*, Routledge.

(8) Hassink, R. (2005) 'How to Unlock Regional Economies from Path Dependency? -from Learning Region to Learning Cluster-. *European Planning Studies*, Vo.13, No. 4 , pp.497-520.

(9) KATOH, Y. (2013) *Transformation of a Branch Plant Economy : can the Osaka Bay Area escape the rust belt trap ?*, Working Paper, No.224, Institute for Policy Analysis and Social Innovation, University of Hyogo, 2013.

(10) NEDO『オープンイノベーション白書　第3版』2020。

(11) 元橋一之「オープンイノベーション3.0に中小企業はどう向き合うべきか」日本政策金融公庫 No.131、4-15頁、2019。

(12) 加藤恵正『都市・地域経済の転換に係る経済地理学研究――集積経済の再編と再生の方向――』神戸商科大学研究叢書 LX Ⅶ、神戸商科大学経済研究所、2002。

(13) 加藤恵正「大阪湾ベイエリアはBPE (Branch Plant Economy) の罠から逃れることはできるのか」近畿都市学会編『都市構造と都市政策』古今書院、141-147頁、2014年。

(14) 諸富徹『資本主義の新しい形』岩波書店、2020年。

(15) S. Giguere「地域雇用開発、分権化、ガバナンスと政府の役割」樋口美雄・S ジゲール他編『地域の雇用戦略』日本経済新聞社、2005年、45-72頁。

(16) 渡邊博顕「市町村の雇用創出への取組と今後の課題」労働政策研究・研修機構編『地

域雇　用創出の新潮流』197-244頁、2007年。

(17)　佐口和郎「地域雇用政策とは何か――その必要性と可能性――」神野直彦他編『自立した地域経済デザイン・生産と生活の公共空間』有斐閣、2004。

(18)　CPO型都市政策については、次を参照のこと。加藤恵正「CED（Community Economic development）型都市政策の展開――ソシアル・インクリュージョン・アプローチによる都市再生」都市政策132号、4-17頁、2008年7月。

(19)　H. Armstrong and J. Taylor, Regional Economics and Policy, Blackwell, 2000.

(20)　安本弘曉「労働市場の流動化こそ本筋」日本経済新聞朝刊、2021/08/31。

(21)　荊谷は日本の人的資本市場の閉鎖性と硬直性から、労働生産性が諸外国に比して低位経済新聞朝刊、2022/01/06。

(22)　石東直子「リスキリングとは――DX時代の人材戦略と世界の潮流――」経済産業省。https://www.meti.go.jp/shingikai/mono_info_service/digital_jinzai/pdf/002_02_02.pdf

(23)　リンダ・グラットン『ワーク・シフト』プレジデント社、2012。

(24)　Jacobs, J（1984）,'*Cities and the Wealth of Nations: Principles of Economic life*', Random House.『発展する地域　衰退する地域：地域が自立するための経済学』中村達也訳（2012）、筑摩書房。

(25)　K. Frenken, F. Vanfort and T. Verburg, Related variety, unrelated variety and regional economic growth', *Regional Studies*, 41-5, pp.685-697, 2007.

(26)　Henry Etzkowitz, *The Triple Helix: University-Industry-Government Innovation in Action*, Routledge, 2008.（三藤利夫他訳『トリプル・ヘリックス――大学・産業界・政府のイノベーション・システム――』芙蓉書房出版、2009）。

(27)『広域経済圏活性化による経済成長戦略――関西圏「再生・進化」への広域経済戦略』（（公財）ひょうご震災記念21世紀研究機構 政策研究プロジェクトリーダー 加藤恵正）、2022年3月。

研究報告

XI オープン・イノベーションのゲーム理論的考察 ――尼崎の中小企業集積に着目して――

藤野 夏海
公益財団法人 尼崎地域産業活性化機構 調査研究室

1 はじめに

本稿では、中小企業間のオープン・イノベーションの促進と課題について、簡単なゲーム理論のモデルを用いて考察する。第1節では、本稿のキーワードである「オープン・イノベーション」について説明する。第2節では、伝統的な経済学の理論から、「オープン・イノベーション」について論じる。第3節でモデル分析を行い、第4節では今後の課題を含め、本稿のまとめを行う。

（1）オープン・イノベーションとは

オープン・イノベーション（Open Innovation、以下 OI と記す。）とは、2003年に Chesbrough によって提唱された概念であり、「知識の流出入を目的に沿って利用し、内部のイノベーションを促進するともに、それを社外でも利用できるように市場を拡大する[(1)]」経営戦略の1つである。すなわち、「イノベーションの源となるアイディア、知識、技術を社外にも求め、また社内にある技術の活用を社外にも求める考え方（武石、2012、p.17)」である。NEDO[(2)]（2018）をはじめ多くの文献で同様の定義が採用されている。

従来のイノベーションはOIと対比してクローズド・イノベーション（Closed Innovation）と呼ばれ、わが国では1980～1990年代にかけて、経営資源が豊富で資金力のある大企業によって「自前主義」的なイノベーションが行われてきた（伊藤ほか、2013)。しかしグローバル化に伴う市場のめまぐるしい変化に伴い、流行の入れ替わりや商品のライフサイクルが短くなったことによって、よりはやく、より多くのイノベーションが求められるようになってきた。このような背景のもと、近年注目が集まっているのがOIである。

（2）尼崎市とオープン・イノベーション

尼崎市は、高い製造技術や研究開発機能を持つ企業が多く集積している阪神工業地帯の中核都市である。尼崎市では、2005年度（平成17年度）に、①尼崎市および周辺地域（西宮市、芦屋市）が試験研究機関・部門の集積地であることの確認、②試験研究分野や内容の確認とその情報発信、③研究拠点都市・地域としての知名度の向上およびイメージアップ、④試験研究機関のネットワーク化、⑤ネットワーク体の交流から技術、製品の開発や企業活動等への発展を目的として、『試験研究機関ネットワークの構築に関する基礎調査』が実施された(3)。これは尼崎市におけるOI促進に向けての取り組みの先駆けであると言える。

当時の調査によれば、尼崎市およびその周辺には64の研究機関が集積していることが確認されている（尼崎市、2005）。その後の追跡調査は行われていないが、掛（2019）の調査によると、2008–2009年時点で尼崎市内に民間研究技術開発機能をもつ企業は35社であった。2022年現在、尼崎市の事業所データベースである「アマポータル」(4)等を使用して追跡すると、研究機関を持つ企業として登録がある企業はおよそ40社であった。研究機関および研究開発の部署を持っているが、アマポータルに登録および記載がない企業を加えると、実数はもっと多いものと思われる(5)。尼崎市は、2005年当時と変わらず研究開発機能を持つ企業の集積地となっていると言えるだろう。

2　経済理論とオープン・イノベーション

第2節では、伝統的な経済学の理論から、「オープン・イノベーション」について論じる。まず、経済成長の観点からOIの重要性について確認する。次に、OI を促進する要素としての集積の経済について、尼崎市の企業集積に触れながら説明する。そして、集積の経済と中小企業の OI について考察する。

（1）経済成長と OI

経済学において、経済成長の源泉は①資本、労働など資本ストックの増加、②イノベーションを含む外部要因、の２点とされるが、長岡・平尾（2013）によると、多くの場合、高い成長率を達成しているのは技術革新による経済成長である。少子高齢化による人口減少・人口構造の変化によって経済成長が滞っているわが国にとっては、持続可能な経済成長にイノベーションは不可欠であるといえる。

持続的なイノベーションを行うためには「知の深化」「知の探索」という「両利きの経営」が望ましいことが知られている。「両利きの経営」とは、「不確実性の高い「知の探索」と、コストダウンや生産性向上・改善などによって収益を確保する「知の深化」の２つの活動で構成され、高い次元でこれらのバランスが取られることで、規模によらず継続的なイノベーションが可能になるというもの」（文能、2022、pp.151-152）である。山岡（2016）によれば、企業は短期的な業績が重要視されると「知の深化」に特化してしまう傾向がある。したがって、持続的イノベーションを行うためには、OI による「知の探索」を強化し、「両利きの経営」を達成していく必要がある。

Chesbrough（2011）によると、OI のメリットは、①費用の削減、②市場投入までの時間削減、③市場における差別化の強化、④新しい利益の源泉の獲得、である。さらに米倉（2012、pp.14-15）は、⑤社内経営資源の棚卸し、⑥製品技術戦略・商品開発戦略の再構築、⑦内部における開発競争促進をメリットであると述べている。米倉はまた、①組織対応のコスト、②占有性の低下・競争激化、③長期的研究開発志向・コアコンピタンスの低下をデメリットとして挙げている。さらに、長岡・平尾（2013）は、マクロ的な視点から技術の公開すなわち OI が重要である理由として、①研究の重複が避けられる、②新たな研究開発のシーズを供給する、③技術革新に必要な累積的プロセスが作用しにくくなる、を挙げている。OIによるメリットは、高橋（2013）、森下（2018）、田代（2019）などで述べられている中小企業のイノベーションにおける課題をうまく補える可能性がある。

（2）集積の経済とは

集積の経済とは、Marshall（1890）によって提唱された概念であり、人、企業、経済活動が都市に集積することによる利益のことをいう。図1のように、集積の経済は内部経済（企業にとって内部的、産業にとって外部的）と外部経済（企業にとって外部的、産業にとって内部的）に分けられ、内部経済は水平的統合、斜行的統合、垂直的統合、外部経済は地域特化の経済、都市化の経済、活性複合体の経済に分類(6)される（Parr、2002；Nakamura、2013）。

尼崎市は、同業種の集積によって生じる地域特化の経済と、異業種の集積によって生じる都市化の経済の両方の特徴を兼ね備えている。地域特化の経済は「小規模事業所の集積で地場産業的なものが多い」という特徴があり、「それらがばらばらに遠く離れて立地するときよりも、産業全体としてみると生産額が増加大する」メリットがある（黒田ほか、2008、p.24）。しかしながら、地域特化の経済が働く地域のなかには、国際競争の激化などにより縮退都市（shrinking city）と呼ばれるようになった地域もある。尼崎市は大企業の下請け工場が多く、同業種の中小企業の集積が確認されるため、地域特化の経済が

図1　集積の経済分類

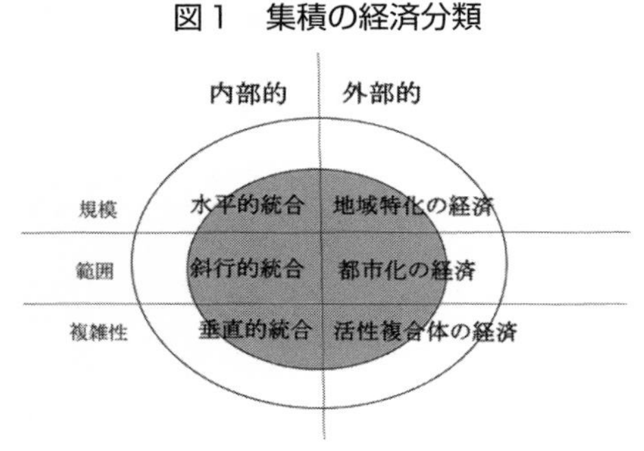

出所：Nakamura（2013, p.106）より筆者作成。

働いていると考えられる。

他方、都市化の経済は、多種多様の企業や人材が集積し、異業種間の交流が促進されることによるメリットである（黒田ほか、2008）。異業種間交流は知識や技術のスピルオーバーを助長し、フェイス・トゥ・フェイスのコミュニケーションのコストを削減する。尼崎市は先述の同業種集積に加えて多種多様な企業の集積が確認でき、大阪をはじめ関西中枢都市へのアクセスがよいため、都市化の経済を享受していると考えられる。

（3）集積の経済と中小企業のOI

尼崎市内に集積しているのは多くが製造業関連の中小企業である。森下（2018、pp.168–169）は、製造業の中小企業が集積している地域を「中小製造業集積地」と呼んでいる。「中小製造業集積地」の明確な定義はなされていないが、そのメリットは「①柔軟な企業間分業を高度に専門化させている域内経済、②特定産業の技術を確保する際のコストを削減できる外部経済、③イノベーションに係わる情報の伝搬・確保が容易な人的交流、④特定産業に必要な公共サービスのスケールメリット、⑤域内における激しい競争による技術・技能の向上、⑥産業の苗床機能」である。これは「地域特化の経済」および「都市化の経済」の特徴を兼ね備えており、前項の議論から、尼崎市も「中小製造業集積地」の1つであると言えるだろう。

特に都市化の経済の恩恵を受ける地域では、人、資源、情報、行政などへのアクセスが容易になり、これらの交流はイノベーションを促進する（Jacobs、1961；Gleaser et al. 、1992；Porter、1996；Schumpeter、2021など）。そして、田代（2019）によれば、地方の中小企業が戦略的ネットワークを構築する際に求められるのは①価値の明確化、②主体性、③価値情報へのアクセス、④新奇性と制約条件の排除、⑤地域・社会との共生、の5要素である。これらの要素は中小企業間のOIによって満たすことが可能であると思われる。

例えば、半導体産業の集積都市として有名なシリコンバレーには、「企業間の協力」という地域固有の慣行が存在している（伊藤、2011）。シリコンバレーでは「不断の技術革新のためには、企業同士の協力が必要だという認識があり、これが個人的、社会的、職業的な各種のネットワークをうまく機能させ、ネットワークそのものが情報や技術をもち、スムーズな情報・技術の伝播を可能にしている」と伊藤（2011、p.46）は述べる。上記の「中小製造業集積地」では、このような「企業間の協力」という風土が醸造されていると考えられ、これがOIによるスムーズな協働を実現する要素になり得ると考えられる(7)。

3　モデル分析

ここでは、簡単な戦略型のゲームで、中小企業のOIの可能性について考察する。まず、中小企業とOIに関する先行研究をまとめる。次に、ゲーム理論について簡単に紹介したうえで、ゲームの枠組みを説明する。最後にナッシュ均衡を求め、均衡が実現する条件について論ずる。

（1）中小企業とOIに関する先行研究

OIに関する先行研究は官民、国内外問わず非常にさかんであるが、中小企業のOIに焦点を当てた研究は、管見の限りではさほど蓄積が進んでいない。以下、中小企業のOIに関する先行研究を紹介する。

Lee et al.（2010）は、OIについての文献と理論を幅広く整理したうえで、韓国中小企業におけるOIの実態を調査し、仲介者ネットワークモデルについて韓国KICMSの事例を分析している。また、高橋（2013）も同様に仲介者の役割に注目し、日本においてOIが進まない理由を外国との比較で論じている。Xiaobao et al.（2013）は中国における中小企業にアンケート調査を実施し、社会的ネットワークに着目して、OIの成功の決定要因を明らかにした。同様に田代（2019）は、OIという言葉を明示して使用してはいないものの、地域内イノベーションについて社会的ネットワークと橋渡し役の「リンゲージ者」の重要性を強調している。

国内における研究は、特定の企業の成功事例や産業に焦点を当てた事例分析が多い（井上、2016）。また、学術研究においては大企業とベンチャー・スタートアップ企業の提携（伊藤ほか、2013）や産学官連携についての研究が多い。わが国の技術力の大部分を担う中小企業のOIに関わる研究は、実証および理論の両側面から重要であると考える。

（2）ゲーム理論とは

モデル分析に入る前に、ゲーム理論について簡単に紹介する。ゲーム理論とは、経済社会において、相互依存関係にある複数の経済主体（アクター）がいかにして意思決定を行うかを分析する経済学の一分野である。代表的なゲームである「囚人のジレンマ」や「最後通牒ゲーム」などは耳にしたことのある人もいるだろう。ゲーム理論では、複数の経済主体の行動がお互いに影響している状況（ゲーム的状況）において、ゲームの枠組み（ルール、制度）のもと、各経済主体が選択する行動（戦略）とそれに伴う結果（利得）を数理モデルの中で分析し、各経済主体は最終的にどのような行動を取るのか（解）を明らかにする。経済学のみならず社会科学全般、物理学や工学といった場面で幅広く応用されている、人間社会の科学の1つである（岡田、2014）。ノーベル経済学賞の受賞対象になったこともあり、近年注目が集まっている。本稿では、最も簡単な戦略型ゲームのモデルを用いて、OIで技術シーズ＆ニーズを公開するかどうかという中小企業の行動を分析する。その際、中小企業が集積していることによる「中小製造業集積地の経済」を「地域密接度」としてモデルに組み込むことで、尼崎市のような中小企業の集積都市でOIが促進されるメリットを論じる。

（3）モデル分析

①　ゲームの枠組み

まずはゲームの枠組みを説明する。簡略化のため、ゲームのプレイヤーは2

中小企業（$i=1, 2$）とする。研究機関や大学等は考慮しない。各企業は「OIする（＝技術シーズ&ニーズを公開する）」、「OIしない（＝技術シーズ&ニーズを公開しない）」の2つの戦略を持っている。このとき、2企業がOIをしたときの企業の利益をπ_i^O、少なくとも1企業がOIをしないときの企業の利益をπ_i^Nとする。ここでは、OIで協業する場合は必ず成功するとする。この場合、新たな利益を得られると考えるので、$\pi_i^O > \pi_i^N$となる。OIをする場合の費用は$C=C(r, d, s)$とする。$r>0$は研究開発（research）にかかる費用、$d>0$は技術を公開すること（disclosure）による費用（損失）、$s>0$は協働企業を探すため（search）の費用である（$\frac{\partial C}{\partial r}>0$、$\frac{\partial C}{\partial d}>0$、$\frac{\partial C}{\partial s}>0$）。このゲームを戦略型で表したものが図2である[8]。

ここで、本モデルは中小企業間のOIを想定していることから、費用負担は2社で等しいものとする。実際には、中小企業間のOIでも費用負担に差異が出ることがあるかもしれないが、伊藤ほか（2013）などで述べられているように、大企業と中小企業のOIの場合は、資金力のある大企業が中小企業に研究開発資源を提供することが多い。企業規模に大きな差異がない中小企業同士のOIということで、モデルに対称性を持たせている。

各企業は、$\frac{1}{2}C \leq \pi_i^O - \pi_i^N$であるときに「OIする」戦略を選び、$\frac{1}{2}C > \pi_i^O - \pi_i^N$であるときに「OIしない」戦略を選ぶ。すなわち、$\frac{1}{2}C \leq \pi_i^O - \pi_i^N$であるときのナッシュ均衡[9]は「OIする」「OIする」となり、$\frac{1}{2}C > \pi_i^O - \pi_i^N$であるときのナッシュ均衡は「OIしない」「OIしない」となる。また、$C=C(r, d, s)$であるから、企業の選択はr, d, sに依存する。

図2　OIの戦略型ゲーム

企業B

		OIする	OIしない
企業A	OIする	$\pi_A^O - \frac{1}{2}C(r, d, s), \pi_B^O - \frac{1}{2}C(r, d, s)$	$\pi_A^N - C(r, d, s), \pi_B^N$
	OIしない	$\pi_A^N, \pi_B^N - C(r, d, s)$	π_A^N, π_B^N

出所：筆者作成

②　仲介者がいる場合のゲーム

次に、Lee et al.（2010）、高橋（2013）で論じられているような仲介者をゲームに組み込む。本モデルにおける仲介者によるOIの特徴は以下の通りである。①技術を公開することによる費用（損失）$d>0$は限りなく0に近くなる。これは、技術ニーズおよびシーズは仲介者にのみ公開されるためである。本モデルでは、$d=0$であるとする。②協働企業を探すための費用$s>0$は仲介料や、仲介者の能力に依存するため、仲介者を利用する前よりも費用が大きくなる可能性もあれば、小さくなる可能性もある。本モデルでは、これを「仲介力」とし、パラメータθ（$\theta>0$）で表す。したがって、費用関数は$C=C(r, \theta s)$となる（$\frac{\partial C}{\partial r}>0$、$\frac{\partial C}{\partial s}>0$、$\frac{\partial s}{\partial \theta}>0$）。このゲームを戦略型で表したものが図3である。

このゲームのナッシュ均衡は、仲介者が存在しない場合と同様に、「OIする」「OIする」または「OIしない」「OIしない」となる。しかし、$C=C(r, \theta s)$であるから、企業の選択はr, θ, sに依存する。

図3　仲介者がいる場合のOIの戦略型ゲーム

企業B

		OIする	OIしない
企業A	OIする	$\pi_A^O-\frac{1}{2}C(r, \theta, s), \pi_B^O-\frac{1}{2}C(r, \theta, s)$	$\pi_A^N-C(r, \theta, s), \pi_B^N$
	OIしない	$\pi_A^N, \pi_B^N-C(r, \theta, s)$	π_A^N, π_B^N

出所：筆者作成

③　集積の経済が働いた場合のゲーム

最後に、「中小製造業集積地の経済」によるメリットを「地域密接度」とし、これをゲームに組み込む。具体的には、中小企業間の情報の非対称性を緩和する指標だと考えれば分かりやすい。通常、協働企業を探すためには$s>0$の費用がかかるが、この費用は企業間の情報の非対称性が大きければ大きいほど大きくなる。例えば、協働先の企業の保有する技術力、信頼度、探している技術シーズおよびニーズに本当に合致しているかなどの情報には、非対称性が生じる。しかし、尼崎市のように中小企業が集積している地域では、社長同士のアンオフィシャルな交流やネットワークによって、そのような情報の非対称性が緩和されると考えられる。本モデルでは、これを「地域密接度」とし、パラメータγ（$0<\gamma<1$）で表す。したがって、費用関数は$C=C(r, d, \gamma s)$となる（$\frac{\partial C}{\partial r}>0$、$\frac{\partial C}{\partial d}>0$、$\frac{\partial C}{\partial s}>0$、$\frac{\partial s}{\partial \gamma}<0$）。このゲームを戦略型で表したものが図4である。

このゲームのナッシュ均衡は、地域密接度を考慮しない場合と同様に、「OIする」「OIする」または「OIしない」「OIしない」となる。しかし、$C=C(r, d, \gamma s)$であるから、企業の選択はr, d, γ, sに依存する。

図4　地域密着度を考慮したOIの戦略型ゲーム

企業B

		OIする	OIしない
企業A	OIする	$\pi_A^O-\frac{1}{2}C(r, d, \gamma, s), \pi_B^O-\frac{1}{2}C(r, d, \gamma, s)$	$\pi_A^N-C(r, d, \gamma, s), \pi_B^N$
	OIしない	$\pi_A^N, \pi_B^O-C(r, d, \gamma, s)$	π_A^N, π_B^N

出所：筆者作成

（4）まとめ

3種類のゲームの結果をまとめたものが、表1である。どのケースにおいても、①「OIする」「OIする」、②「OIしない」、「OIしない」の2通りのナッシュ均衡が存在するが、その決定因果が異なっている。通常、企業がOIをして技術シーズおよびニーズを公開するかどうかは、研究開発費用、技術公開に伴う費用（損失）、協働企業を探すための費用に依存するが、仲介者がいる場合は技術公開に伴う費用（損失）がほとんどなく、代わりに仲介者への仲介料や仲介能力に応じた費用が決定要因となる。一方、集積の経済による地域密接度を考慮した場合、地域密接度が高ければ高いほど協働企業を探すための費用が軽減される。

表1　ゲームの結果まとめ

	(1)OI	(2)仲介者	(3)地域密接度
決定要因	r, d, s	r, θ, s	r, d, γ, s
ナッシュ均衡	①「OIする」「OIする」（$\frac{1}{2}C \leq \pi_i^O - \pi_i^N$のとき） ②「OIしない」「OIしない」（$\frac{1}{2}C > \pi_i^O - \pi_i^N$のとき）		

出所：筆者作成

4　おわりに

本稿では、中小企業間のオープン・イノベーションの促進と課題について、簡単なゲーム理論のモデルを用いて考察した。ゲームの結果、中小企業がOIによって技術シーズおよびニーズを公開するかどうかは、研究開発費用、技術公開に伴う費用（損失）、協働企業を探すための費用に依存することが明確に示唆された。したがって、これらの費用を低減する施策や制度によってOIは促進される。

また、仲介者が存在している場合、技術公開に伴う費用（損失）は限りなくゼロになるが、仲介者の能力が1つの決定要因となる。これまでの先行研究では、仲介者は高い専門知識とネットワークを持つ業界関係者OB、元エンジニア、産業機関や公的団体が担うケースが多かった。前者の場合は、各仲介者の能力に大きく依存することになるが、適切な地域人材が仲介を担えば、地域内OIは促進されるだろう。活性化機構では、「産業フェア」で企業のマッチングイベントを行っているが、多くは大手企業と中小企業のマッチングとなっている。中小企業間のOI促進の観点からこのようなマッチングイベントが有用かどうかについては、今後フォローアップが必要である。後者の場合は、専門人材の育成が不可欠となる。長い目で見れば、マッチングのノウハウやデータをAIに蓄積することで、仲介者の能力に左右されずにマッチングを実現することが可能となる[(10)]。

一方、集積の経済による地域密接度を考慮した場合は、地域密接度の高さが高ければ高いほどOIが促進される。当機構で開催された「第2回製造業のあり方検討会議」では、音羽電機工業（株）の吉田代表取締役社長が、社長同士の交流がOIに繋がったとお話されていた。地域密接度を構成する諸要素については、先行研究の精査を含め今後の課題とする。また、「地域密接度」を考慮するにあたっては、地域経済へのメリットを考慮した社会厚生分析が必要であると考える。森下（2018）、田代（2019）が指摘するように、地域内でのOIのメリットの1つは、地域経済全体への影響である。地域密接度の構成要素と併せて今後の分析課題としたい。

今回は簡単なゲームを用いた分析にとどまったが、OIによる共同開発の成功可能性を考慮して確率関数を用いた分析へモデルを拡張したり、先手後手の影響を考慮して展開型ゲームで分析したりするなどについても、今後の課題とする。

[注]

（1） 筆者訳。原文は "The use of purposive inflows and outflows of knowledge to accelerate internal innovation, and expand the markets for external use of innovation, respectively."（Chesbrough, 2003；2006）.

（2）　国立研究開発法人新エネルギー・産業技術総合開発機構の略称。オープンイノベーション白書（2022年5月時点第三版）を発行している。

（3）　また、それよりも以前に研究所の詳しい調査が行われている（財団法人あまがさき未来協会編、1992）ほか、研究機関集積による研究促進に向けた冊子も発行されている（財団法人尼崎地域・産業活性化機構編、2006）。

（4）　尼崎市が運営する情報ポータルサイト。事業者同士のビジネマッチングをはじめ、雇用・就労活動を促進したり、各種情報を発信したりしている。（https://amaportal.jp/）

（5）　この件について、現在活性化機構でアマポータルの登録および情報の更新を呼びかけているが、追跡調査が必要である。

（6）　Parr の分類は集積によるメリットに焦点を当てている一方で、中小企業庁（2000）は集積の成り立ちに焦点を当て、地域の産業集積を産地型集積、企業城下町型集積、都市型集積、出工場型集積、広域ネットワーク型集積、産学連携・支援施設型集積の6つに分類している。

（7）　Putnam（1992）のソーシャル・キャピタル、宇沢（2000）の社会的共通資本の議論に繋がるが、この議論はまた別の機会に譲る。

（8）これはいわゆる「囚人のジレンマ」ゲームである。

（9）ナッシュ均衡とは、「相手が戦略を変更しない限り、どのプレイヤーも自分だけが戦略を変更しても利得を増やせないような戦略の組のこと（岡田、2014、p62）」である。

（10）　2012年にノーベル経済学賞（ロイド・シャプレー教授、アルビン・ロス教授）は2012年のノーベル経済学賞を共同受賞）を受賞して有名になったアルゴリズムによるマッチングが幅広い分野で活用され始めている。実現可能性は高いかもしれない。

［参考文献］

尼崎市（2005）試験研究機関ネットワークの構築に関する基礎調査、https://www.ama-in.or.jp/research/pdf/sonota/h17_shiken.pdf（2022年12月1日閲覧）

伊藤智久・木村康宏・山本史門（2013）「大企業によるベンチャー企業とのオープンイノベーション」『知的資産創造』2013年10月号、4-17頁。

井上善海（2016）「中小企業におけるオープン・イノベーションのマネジメント」『経営力創成研究』12、5-16頁。

伊藤正昭（2011）『新地域産業論――産業の地域化を求めて――』、学文社。

オープンイノベーション・ベンチャー創造協議会・新エネルギー・産業技術総合開発機構（JOIC＆NEDO）編（2018）オープンイノベーション白書第三版、https://www.nedo.go.jp/content/100880002.pdf（2022年12月1日閲覧）

岡田章（2014）『ゲーム理論・入門〔新版〕』、有斐閣。

掛章孝（2019）「阪神工業地帯の旧中核地域の変化――既存製造業の研究技術開発機能の形成――」『地域経済学研究』36、65-85頁。

黒田達郎・田渕隆俊・中村良平（2008）『都市と地域の経済学』、有斐閣。

財団法人尼崎地域・産業活性化機構編（2006）『研究開発　UP to DATE AMA POWER』

財団法人あまがさき未来協会編（1992）『尼崎の研究所1』

高橋信弘（2013）「仲介者を用いた製品開発：日本型オープンイノベーションの取り組み」『経営研究』64（1）、1-13頁。
武石彰（2012）「オープン・イノベーション」、（所収　一橋大学イノベーションセンター編『一橋ビジネスレビュー 2012 AUT.』東洋経済新報社、16-26頁）。
田代智治（2019）「地域産業クラスター再生と戦略的ネットワーク——中小企業の内発的取り組みによる地域活性化——」『東アジアへの視点』30（1）、29-46頁。
中小企業庁（2000）『中小企業白書2000年版』、東京官書普及。
長岡貞男・平尾由紀子（2013）『産業組織の経済学（第2版）』、日本評論社。
文能照之（2022）「事業承継企業の経営革新と自律化——第二創業によるビジネスモデルの変革に向けて」、（所収　関智宏編著『中小企業研究の新地平——中小企業の理論・経営・政策の有機的展開』同友館、147-169頁）。
森下正（2018）「中小製造業の経営革新と産業集積の再生——新しいビジネスモデルの構築を目指して——」『経営経理研究』112、165-185頁。
山岡徹（2016）「組織における両利き経営に関する一考察」『横浜経営研究』37（1）、43-54頁。米倉誠一郎（2012）「オープン・イノベーションの考え方」、（所収　一橋大学イノベーションセンター編『一橋ビジネスレビュー 2012 AUT.』東洋経済新報社、6-15頁）。
Chesbrough, H.（2003）*Open Innovation : The New Imperative for Creating and Profiting from Technology*, Boston, Harvard Business Review Press. チェスブロウ、H. 著、大前恵一朗訳（2004）『OPEN INNOVATION——ハーバード流イノベーション戦略のすべて——』、産能大出版部。
Chesbrough, H.（2006）*Open Innovation : Researching a New Paradigm*, Oxford, Oxford University Press. チェスブロウ、H. 著、長尾高弘監訳（2008）『オープンイノベーション——組織を越えたネットワークが成長を加速する——』、英治出版。
Chesbrough, H.（2011）Everything you Need to know about Open Innovation, https://www.forbes.com/sites/henrychesbrough/2011/03/21/everything-you-need-to-know-about-open-innovation/?sh=508300ca75f4（2022年12月1日閲覧）
Glaeser, E. K., Kelly, H. D., Scheinkman, J. A. et al.（1992）“Growth in Cities,” *Journal of Political Economy*, 100（6）, pp.1126-1152.
Jacobs, J.（1961）*The Death and Life of Great American Cities*, New York, The Random House Publishing Group. ジェイコブス、J. 著、山形浩生訳（2010）『アメリカ大都市の死と生』、鹿島出版会。
Lee, S., Park, G., Yoon, B. et al.（2010）“ Open Innovation in SEMs-An Intermediated Network Model”, *Research Policy*, 39（2）, pp.290-300.
Marshall, A.（1890）*Principles of Economics*, London, Macmillan.
Nakamura, D.（2013）“Spatial Policy for a Competitive Regional System : Economic and Social Infrastructure Elements”, *Journal of Urban Management*, 2（1）, pp.103-112.
Parr, J. B.（2002）“Missing Elements in the Analysis of Agglomeration Economies”, *International Regional Science Review*, 25, pp.151-168.
Porter, M.（1996）“Competitive advantage, agglomeration economies, and regional policy”,

International Regional Science Review, 19（1&2）, pp.85–94.

Putnam, R. D.（1992）*Making Democracy Work : Civic Tradition in Modern Italy*, Princeton, Princeton University Press. パットナム、R. 著、河田潤一訳（2001）『哲学する民主主義――伝統と改革の市民的構造――』、NTT 出版。

Schumpeter, A. J.（2021）*The Theory of Economic Development*, London, Routledge.

Xiaobao, P., Wei, S. and Yuzhen, D.（2013）"Framework of open innovation in SMEs in an emerging economy : Firm characteristics, network openness, and network information", *International Journal of Technology Management*, 62（2/3/4）, pp.223–250.

XII 尼崎市内事業所の脱炭素経営の実現へ向けた取組

宮崎　良美
公益財団法人 尼崎地域産業活性化機構 調査研究室

1　はじめに

近年、地球規模で平均気温が上昇し、その影響とみられる大雨や豪雪の多発、熱帯低気圧の増加、海面上昇、真夏日の増加等の気象現象が世界各地で現れている。このような気候変動問題は、人類や全ての生物の生存基盤を揺るがし、産業・経済活動にも多大な影響を与える可能性があるとされ、「気候危機」ともいわれる（内閣府、2022、気象庁、2023）。この「気候危機」を回避するため、地球規模で温暖化を緩和することが喫緊の課題となり、産業界では、サプライチェーン全体における温室効果ガス排出量削減等の対応が求められるようになりつつある。一方で、新型コロナウィルス感染症後の世界的な取引の回復やウクライナ情勢等に伴う原材料や燃料等の価格高騰を受けて、エネルギー使用量削減も経営上の急務となっている。

このような状況下で、尼崎市と（公財）尼崎地域産業活性化機構（以下、活性化機構と記す。）では、市内の事業所を対象に脱炭素経営へ向けた取組についてアンケート調査を実施した。本稿では、調査結果をもとに、省エネ対策を含む取組の実態についてみていきたい(1)。

2　尼崎市の温室効果ガス排出量

まず、2019年における尼崎市全体のCO_2総排出量をみると、3,899kt-CO_2である(2)。このうち、産業部門は2,481kt-CO_2であり、比較的早く近代工業が発展した産業都市であることから製造業からの排出量が2,449kt-CO_2と、市全体の62.8%を占めている。尼崎市が脱炭素を達成する上で、製造業からの排出量削減は主要な課題のひとつといえる。

一方で、CO_2総排出量の推計を始めた1990年と2019年を比較してみると、産業部門ではエネルギー多消費型産業の縮小や、重油から都市ガスへの燃料転換や電化が進み、運輸部門では、低燃費車への買い換えや保有台数が減少したことで、ともにCO_2総排出量は減少傾向にある。これに対して、民生業務部門では、CO_2総排出量は相対的に少ないものの、大規模小売店の出店等により電力等の使用量が増加傾向にある（福嶋：2015）。CO_2総排出量に占める民生部門の割合が上昇しており、その抑制も課題となりつつあることがうかがえる。

表1　尼崎市の温室効果ガスの部門別排出量

		産業部門	業務民生部門	家庭民生部門	運輸部門	廃棄物部門	合計
CO_2排出量（1kt-CO_2）排出割合（%）	1990年	5,012 77.8%	385 6.0%	432 6.7%	575 8.9%	39 0.6%	6,443 100.0%
	2019年	2,481 63.6%	471 12.1%	464 11.9%	414 10.6%	70 1.8%	3,899 100.0%
	増減率	−50.5%	22.3%	7.4%	−28.0%	79.5%	−39.5%

出所：環境省「部門別CO_2排出量の現況推計」に基づき筆者作成

3　調査の概要

「尼崎市内事業所の脱炭素経営の実現へ向けた取組に関する実態調査」は、2022年8月、尼崎市を調査主体、活性化機構を実施主体として行われた。

調査対象は、尼崎市内の従業員10名以上の民営事業所1,500事業所であり、対象事業所は、総務省「事業所母集団データベース」より層化抽出法により抽出した。調査方法は郵送法によるアンケート調査である(3)。有効回答数は340件、有効回収率は23.2%となった。

回答者の属性は図1の通りである。全体の約3分の1が製造業である。従業員規模をみると、製造業では100人以上の事業所が31.1%を占め、規模が大きい事業所の割合が相対的に高いのに対して、非製造業では49人以下が58.4%を占めた。

図１　回答事業所の属性別構成

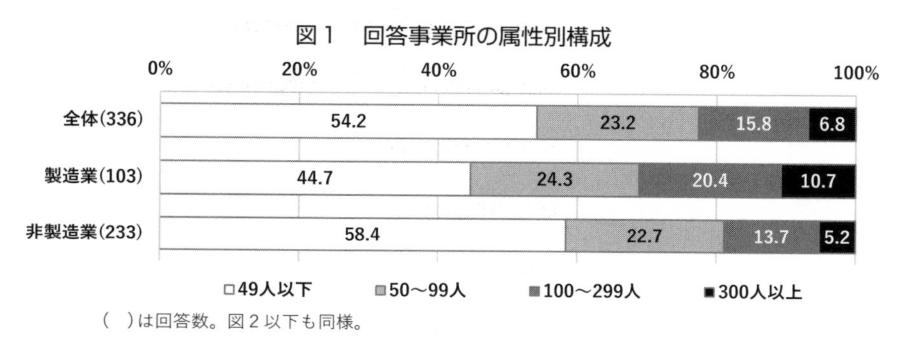

（　）は回答数。図２以下も同様。

出所：調査結果に基づき筆者作成。図２以下も同様。

４　調査の結果

（１）脱炭素経営へ向けた取組の内容

①　実施している取組

脱炭素経営の実現へ向けてどのような取組を行っているかを尋ねたところ、取組を行っている事業所は９割を上回った（92.9%）。

その実施状況を図２に示した。「冷暖房の適正使用や不要な照明のオフ」が72.6%、「LED照明の導入」が72.4%と突出して高く、これに続く「３Ｒの強化」（30.6%）等の取組は３割以下となった。

業種別にみると、製造業はすべての取組において、非製造業よりも取り組んでいる割合が高い。特に、「温室効果ガス排出量の把握」は、製造業で40.8%、非製造業では10.1%であり、30.7ポイントの差がある。「３Ｒの強化」（製造業48.5%、非製造業22.8%、差25.7ポイント）や「温室効果ガス削減目標の設定」（製造業31.1%、非製造業8.4%、差22.7ポイント）等でも20ポイント以上の開きがみられた。

図2　実施している脱炭素経営へ向けた取組【複数回答】

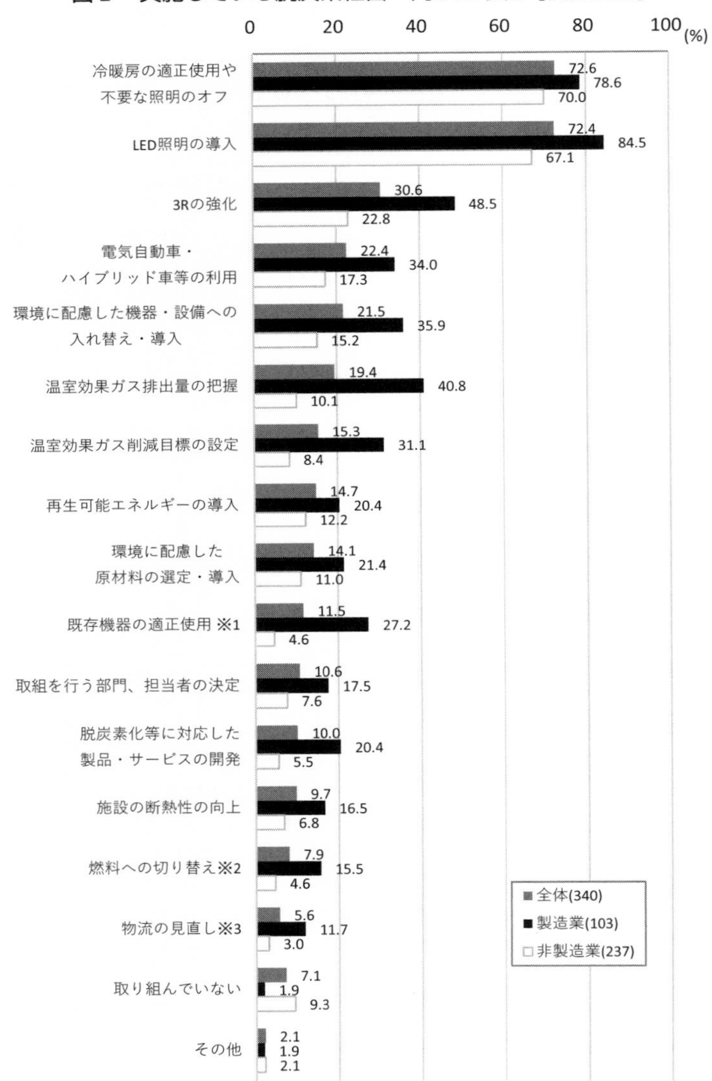

※1　コンプレッサの圧力やボイラの空気比、変圧器の設備容量の見直しなど。

※2　重油から天然ガスへ、あるいは、電化など。

※3　モーダルシフト、共同配送の導入など。モーダルシフトとは、トラック等の自動車で行われている貨物輸送を、環境負荷の小さい鉄道や船舶の利用へと転換することをいう。

出所：筆者作成

②　エネルギー使用量の把握の状況

次いで、事業所のエネルギー使用量の把握の方法について尋ねると、図３のような結果となった。「電気使用量や燃料使用量を把握」（75.1％）と「電気や燃料の購入額を把握」（63.0％）が突出して高く、「デマンド監視装置の設置」（22.2％）、「温室効果ガス排出量の把握」（17.2％）は約２割、「省エネ診断の受診（受診予定）」は5.9％となった。

業種別にみると、製造業は全ての方法で非製造業を上回り、特に、「温室効果ガス排出量の把握」（製造業39.8％、非製造業7.2％、差32.6ポイント）や「デマンド監視装置の設置」（製造業42.7％、非製造業13.2％、差29.5ポイント）は約30ポイントの差となっている。

図３　エネルギー使用量の把握状況【複数回答】

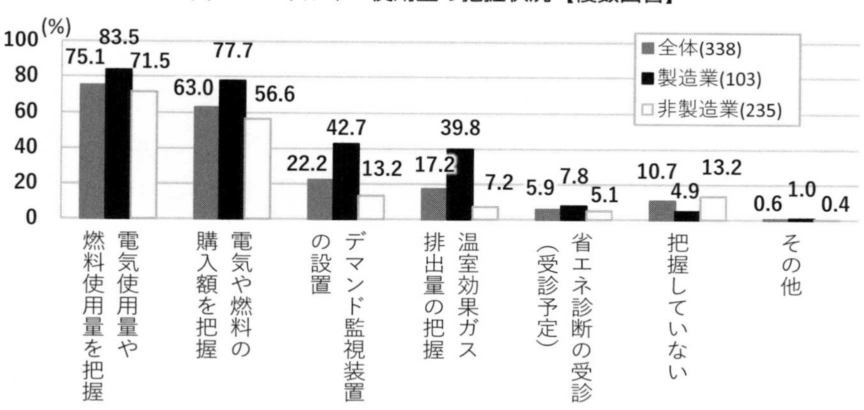

出所：筆者作成

③　再生可能エネルギーの導入

再生可能エネルギーの導入状況をみると、全体では19.4％である。導入している再生可能エネルギーの種類は、図４の通り、太陽光発電を中心とする「自家発電・自家消費」が全体（16.0％）、製造業（19.4％）、非製造業（14.5％）とも最も高いものの、２割未満と、他の対策に比べ低調とみえる。「購入電力を再生可能エネルギー由来へ切り替え・導入」以下も数％である。

この背景[(4)]には、太陽光パネルのリサイクルが困難で廃棄に課題がある現

図４　再生可能エネルギーの導入状況【複数回答】

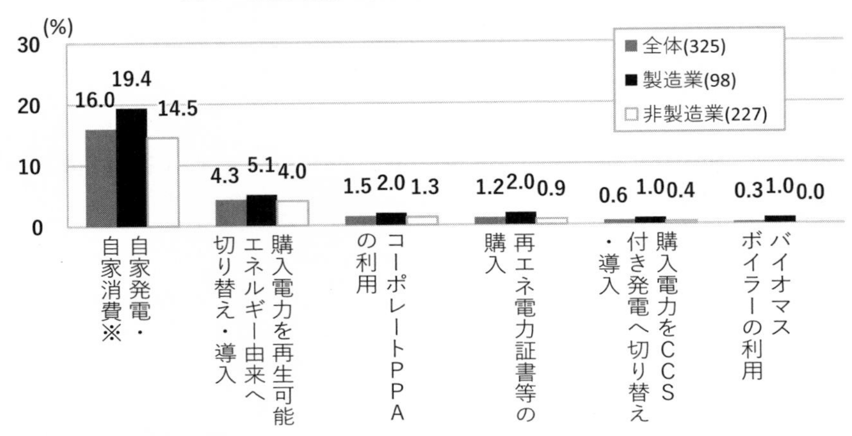

※　太陽光発電設備の購入・リース等
出所：筆者作成

状や経年劣化による発電量の低下、新電力の電気料金の高騰や事業者撤退に対する不安等の要因が挙げられる。また、大都市圏内に位置し、比較的早くに発展した工業地域であることから、製造業事業所では、工場敷地の狭さや建屋の耐荷重の問題等もボトルネックとなっている。

（２）取組に期待する効果と課題

①　取組を始めた目的・きっかけ

脱炭素経営へ向けた取組を始めた目的やきっかけは、図５のようになった。全体では、「光熱費等のコスト削減」（60.8％）が突出して高く、次いで、「CSR（企業の社会的責任）の一環」（36.8％）が高い。「政府や自治体が掲げる目標等への対応」（22.8％）、「事業継続性の強化」（22.3％）、「本社、親会社、取引先を含むサプライチェーンからの要請」（21.1％）は約２割となった。

業種別にみると、製造業では、「光熱費等のコスト削減」（66.0％）および「CSR（企業の社会的責任）の一環」（59.2％）が約６割に達し、続いて、「本社、親会社、取引先を含むサプライチェーンからの要請」（35.0％）、「政府や

図５　取組の目的・きっかけ【複数回答】

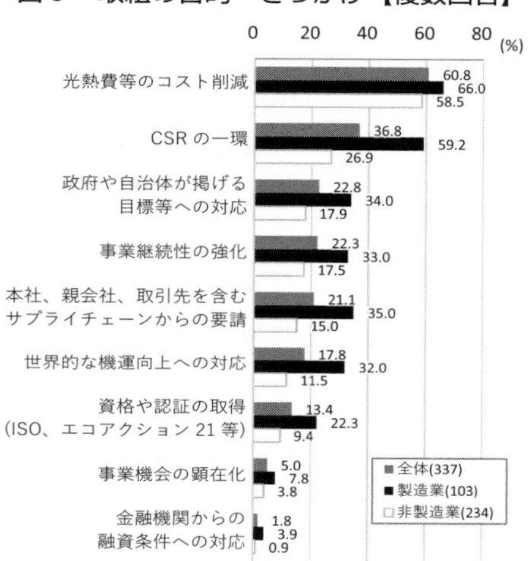

出所：筆者作成

自治体が掲げる目標等への対応」（34.0％）、「事業継続性の強化」（33.0％）、「世界的な機運向上」（32.0％）が３割台となっている。非製造業では、「光熱費等のコスト削減」（58.5％）が約６割となったが、「CSR（企業の社会的責任）の一環」（26.9％）以下は３割に届かなかった。

②　取組に伴う効果

脱炭素経営へ向けて取り組むことにより得られたメリットについて尋ねたところ、図６の通り、全体では、「コスト削減」（53.6％）が５割を上回り、次いで、「企業の認知度やイメージ向上」（33.3％）、「従業員のモチベーション向上」（16.5％）、「環境に配慮した新製品・新サービスによる取引拡大」（11.3％）と続いた。また、メリットがあったという回答は、全体の84.2％となった。

業種別にみると、製造業では、「コスト削減」（50.5％）と「企業の認知度やイメージ向上」（46.3％）が約５割、続いて「環境に配慮した新製品・新サービスによる取引拡大」（21.1％）、および、「従業員のモチベーション向上」（20.0％）が約２割となった。非製造業では、「コスト削減」（55.1％）が約６

図６　脱炭素経営へ向けた取組によるメリット【複数回答】

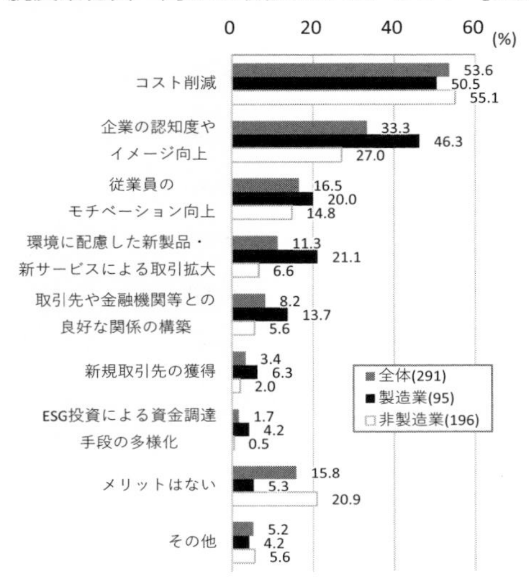

出所：筆者作成

割と、製造業を上回ったものの、そのほかは製造業を下回った。また、「メリットはない」（20.9％）が２割を占め、製造業よりもメリットを感じる機会が少ない様子がうかがえる。

③　取組を進める上での課題

取組を行う上での課題や取組をしていない理由についてみると、図７のように、全体では、「取り組む必要性を感じない」は4.5％であり、大多数の事業所で、その理由は措くとしても、取組が必要だと考えられていることがわかる。それでは、どのような課題があるのかをみると、「コストの価格転嫁ができない」（38.3％）、あるいは「ノウハウがない」（36.7％）を挙げた事業所が４割弱、次いで、「人手不足」（32.2％）、「経営上の優先順位が低い」（29.9％）が約３割となっている。「何をしたらよいのかわからない」は19.3％と約２割となった。

業種別にみると、製造業では、「コストの価格転嫁ができない」（51.0％）が約５割に達し、次いで、「人手不足」（36.7％）、「ノウハウがない」（34.7％）

と続いた。非製造業では、「ノウハウがない」（37.6％）が最も高く、「コストの価格転嫁ができない」（32.4％）および「経営上の優先順位が低い」（32.4％）が続いた。

④　行政に期待する支援

脱炭素経営の実現へ向けて、行政や支援機関にどのような支援を期待するのかを尋ねたところ、図８の通り、「補助金・融資」（54.1％）が５割を超えて最も高く、「情報提供（ハンドブック、ホームページ、セミナー等）」（34.6％）および「再生可能エネルギー導入支援」（33.0％）が３割台となった。先にみた「コストの価格転嫁ができない」や「ノウハウがない」等の課題にある程度対応する様子がみてとれる。

業種別では、「補助金・融資」が製造業（61.4％）で約６割、非製造業（50.9％）で約５割と10.5ポイントの差があるが、そのほかの支援に対しては、業種間の大きな差はみられなかった。

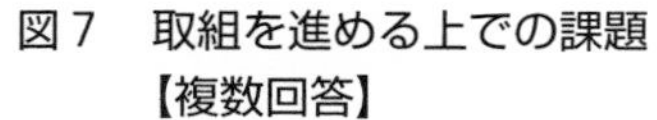

図７　取組を進める上での課題
【複数回答】

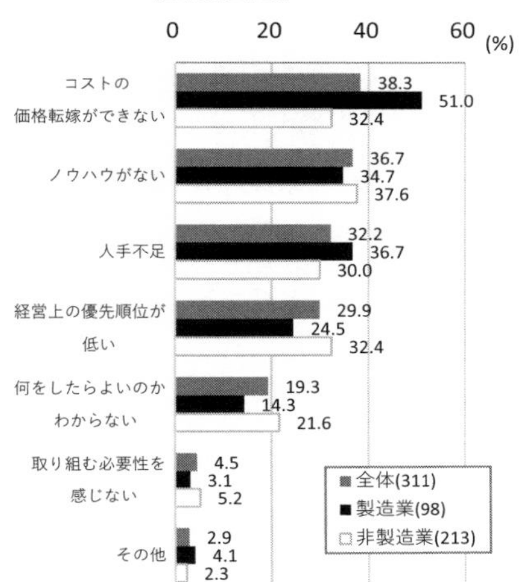

※取組をしていない場合は、その理由について尋ねた。
出所：筆者作成

図８　行政に期待する支援
【複数回答】

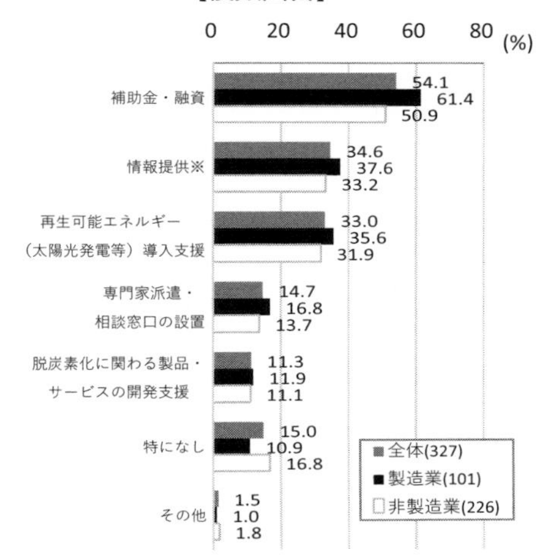

※ハンドブック、ホームページ、セミナー等
出所：筆者作成

5　まとめにかえて――脱炭素経営の進展へ向けて

ここまで、尼崎市内事業所における脱炭素経営に向けた取組の実態をみてきた。このなかで、製造業では、ほぼ全ての事業所で取組が行われ、各種の対策についても、非製造業に比べ、高い実施率となっていた。そこで、製造業事業所における傾向についてアンケート調査に続けて実施したヒアリング調査成果(5)もふまえて若干の検討を行い、まとめに代えたい。

取組内容をみると、LED照明の導入や冷暖房の適正使用等の省エネ対策が約８割で取り組まれており、３R（リデュース・リユース・リサイクル）が約５割、温室効果ガス排出量の把握が約４割と続く。

さらに、温室効果ガス排出量の削減目標を設定している事業所は約３割であるが、その多くが、省エネ法（エネルギーの使用の合理化等に関する法律）により、エネルギー使用状況について報告義務がある特定事業者や、エコアクション21等の認証を取得している事業者のようである。このことから、2050年のカーボンニュートラル達成へ向けた取組は、現状では、主に政策等への対応として行われていること、あるいは、取引先等からの要請への対応やその信頼獲得等も動機となっている様子がうかがえる。一方で、削減目標を設定し取組む事業所においても、地球温暖化対策は重要だが、私企業として収益につながらない取組は実行しづらいと考えているところが多く、そのため、省エネや原材料等のロス削減といった、コスト削減の効果が明確な対策はより着手しやすいようである。また、企業の認知度やイメージ向上、CSRなど、間接的に取引拡大に貢献するものとして位置づけられて取り組まれることが多いことも、このような考えの表れといえる。

取組の展開をみるとエネルギー使用量の把握、低コストでできる対策から始め、次いで、設備更新のタイミングで高性能機器への更新や燃料転換等を行い、エネルギー使用量を大幅に削減する。しかし、省エネ法等では、エネルギー消費原単位で年平均１％以上の削減が求められるため、続いて、コンプレッサー等の機器の利用方法の見直し等も含む、より一層の生産工程の高効率化がはかられる、というサイクルで展開する傾向がある。そして、早くに取組を始めた事業所のなかには、考えられる対策は全て終えてしまい、次へ向けて情報を収集しているというところも複数みられる。

このようにみてくると、脱炭素経営に向けた取組を支援し、促進するにあたっては、取組の各段階に対応した情報提供、少額なものから大規模な設備投資までを支援できる制度等があるのが望ましい。また、企業がそれらの情報に容易にアクセスできる環境づくりや、社会全体で気候危機の緩和に取り組もうという雰囲気の醸成も行政や支援機関に求められる支援といえるだろう。

[注]

（1） 以下、掲出の資料は、特に断りがないものは、尼崎市・公益財団法人尼崎地域産業活性化機構編（2023）『尼崎市内事業所におけるSDGs・脱炭素経営の実現に向けた取組の実態調査報告書』（尼崎市）による。

（2） 環境省「部門別CO_2排出量の現況推計」、https://www.env.go.jp/policy/local_keikaku/tools/suikei2.html。（2023年2月18日閲覧）

（3） 回収は、郵送、FAXによる返送、WEB上のアンケートフォームで行った。

（4） 2022年10月～2023年1月にアンケート回答事業所のうち、取組を行っている26事業所を対象にヒアリング調査を行った結果による。

（5） 注（4）に同じ。

[参考文献]

尼崎市（2022）「尼崎市地球温暖化対策推進計画」（令和4年3月一部改訂）、11頁。

気象庁（2023）「地球温暖化」、https://www.data.jma.go.jp/cpdinfo/chishiki_ondanka/index.html。（2023年2月4日閲覧）

内閣府（2022）「特集 第3章 第7節 気候変動リスクを踏まえた防災・減災対策」（所収『令和4年防災白書』、https://www.bousai.go.jp/kaigirep/hakusho/r04/honbun/0b_3s_07_00.html）。（2023年2月4日閲覧）

福嶋慶三（2015）尼崎市における環境モデル都市の取組み（所収　公益財団法人尼崎地域産業活性化機構編『ECO未来都市を目指して――産業都市尼崎の挑戦』清文社、44–67頁）。

あとがき

2021年に開催された世界経済フォーラム（WEF）ダボス会議のテーマは、「グレート・リセット」。それは、世界の社会経済システムをいったん解消して全く新しい仕組みを構築しようというものである。これまでの延長の議論はやめ、次のステップへの進化の構図を描くということだ。

リセット不可避の硬直化した制度や仕組みは都市や地域において先鋭的に顕在化している。21世紀に入って、進化経済学の視点から、かつて興隆した都市や地域の衰退の実情や再生を拒む「負のロックイン」についての研究が蓄積されつつある。本書では、企業イノベーションの進化、人財育成／労働市場政策、再編不可避の都市産業政策の３領域に関わる「負のロックイン」解除に焦点を当て、多様な専門の視点から議論を行った成果である。

（公財）尼崎地域産業活性化機構では、これまで３回 AIR 叢書を公刊してきた。テーマは、第１回が『ECO 未来都市を目指して』（2015）、第２回『尼崎市の新たな産業都市戦略』（2016）、第３回『時代を担うひと・まち・産業』（2016）であった。これら３部作は、それまでの尼崎市経済／産業の現在を概観したものであった。

2019年12月、中国武漢市において新型コロナ感染症が確認される。その後、同感染症は国際的に懸念される緊急事態へと急拡大し、WHO は2020年３月にはパンデミック宣言を行うに至った。さらに、2022年２月、ロシアは「特別な軍事作戦」（プーチン）と称する戦争をウクライナで開始。明らかな国際法違反が国連常任理事国によって引き起こされた。世界的な成長減速とインフレ加速である。こうした２つの巨大なインパクトは、世界・国民経済だけでなく尼崎市を含む個々の都市・地域経済により深刻な形で顕在化しつつある。AIR 叢書第４号『ウィズコロナ時代の都市イノベーション』は、グローバルな衝撃がもたらす地域経済の苦闘と転換の過程で、都市経済の将来を模索しつつ編纂したものである。

かかる変化に対応する地域経済・政策のグレート・リセットは可能なのか。

本来、地域政策の意義は、「地域からの選択」が可能になる制度設計にある。国民経済が直面する問題が凝縮・先鋭化する地方の経済において、地域市場の中で市民・企業・行政自らが「選択」できる仕組みをつくることは喫緊の課題と言わなければならない。そのアプローチは、現在、世界各国で多様な形で試行錯誤が行われている。

たとえば、「一国多制度」の提案（柳川 2018）[1]などもそのひとつであろう。日本では、阪神淡路大震災からの復興においてエンタープライズ・ゾーン設置（加藤 2005）[2]が検討されたが、当時の政府は一国一制度に固執し十分な形では実現しなかった。その後、国家戦略特区などが設置されたが、小手先の施策で終わってはいないだろうか。経済の進化において技術革新と社会制度革新はコインの両面をなす。日本において、社会制度の革新がなぜこれほど遅れているのか。地域間の制度競争の激化については議論があるところだが、現実に地域経済の機動力を喚起する都市・地域固有の制度設計は喫緊の課題と言わなければならない。

市場と公共の接点にある都市・地域産業政策の新たな時代が始まろうとしている。

［注］

（1） 柳川範之「「一国多制度」検討の時　技術革新と多様化に対応」日本経済新聞2018年3月12日。

（2） 加藤恵正「震災からの地域経済再生：エンタープライズ・ゾーン再論」、日本建築学会都市計画委員会『都市変容の予兆としての阪神・淡路大震災復興10年——阪神淡路から次代の都市計画へのメッセージ——』2005年。

令和５年５月

加藤　恵正

公益財団法人 尼崎地域産業活性化機構

Amagasaki Institute of Regional and Industrial Advancement（AIR）

当財団は、尼崎市が抱える都市問題の解決に向けた調査研究を行うとともに、尼崎市のまちづくりの根幹である産業の振興及び中小企業等の勤労者の福祉向上に向けた各種事業を推進し、もって地域及び産業の活性化に寄与することを目的に設立されました。

人と人、情報が結びついて新たな交流や発見が始まる拠点として、主に調査研究事業、産業振興事業、貸会場・貸オフィス事業、尼崎市中小企業勤労者福祉共済の４つの事業を展開しています。

[所在地]

〒660-0881　尼崎市昭和通２-６-68　尼崎市中小企業センター内
TEL. 06-6488-9501　FAX. 06-6488-9525

[沿革]

1981（昭和56）年５月　財団法人尼崎市産業振興協会設立。
1982（昭和57）年10月　尼崎市中小企業センター竣工。
1986（昭和61）年４月　財団法人あまがさき未来協会設立。
2003（平成15）年４月　財団法人尼崎市産業振興協会と財団法人あまがさき未来協会を統合し、財団法人尼崎地域・産業活性化機構となる。
2009（平成21）年４月　尼崎市中小企業勤労者福祉共済事業を尼崎市から移管。
2012（平成24）年４月　公益財団法人尼崎地域産業活性化機構となる。
2017（平成29）年４月　愛称を「アイル」とする。

[調査研究室　令和４年度の活動]

公益財団法人尼崎地域産業活性化機構調査研究室では、尼崎市のまちづくり、および、その根幹となる産業振興に向けた調査・研究を行っている。令和４年度の活動は、次の通りである。

①事業所景況調査：尼崎市内事業所の動向等を把握し、時宜にかなった対応措置を講じるため、景気動向調査を年４回実施。

②労働環境実態調査：市内事業所における労働環境等の実態を把握し、労働環境の改善、雇用の促進等を図るため、年１回実施。

③尼崎市内事業所におけるSDGs・脱炭素経営の実現に向けた取組の実態調査：企業経営において2030年におけるSDGs達成や2050年における脱炭素化へ向けた取組が急務となっていることをふまえ、市内事業所における取組の実態を把握し、それらの実現のための支援のあり方を検討するための基礎資料とする。

④人口分析業務：尼崎市の政策立案の基礎資料とするため、ファミリー世帯の動態をはじめとする、人口に関わる各種統計データを収集・加工して、データベース化するとともに、人口動向を分析。受託研究。

⑤あまがさき観光流動実態調査：観光施策の充実へ向け、市内で開催される各種イベントの来場者を対象にイベントの満足度、イベントでの買物や食事などの消費行動等のアンケート調査を実施。

⑥新しい製造業のあり方検討会議：製造業を取り巻く諸課題について多角的な視点から、新たな展望を導くとともに、効果的な施策の企画立案につなげることを目的として、令和４年度で３回開催。尼崎市、市内経済団体、市内企業の経営者等とともに、今日的な製造業のあり方を議論した。本書は、当会議の成果である。

⑦市内事業所の防災・減災対策に関する実態調査：今後30年以内に南海トラフ地震が予見されるのを受けて、大規模災害、新型感染症拡大時等の事業継続力の強化や、その対策を推進する上での課題、二拠点生活を柱とする、被災従業員の避難先確保に関する意向等について調査を実施。兵庫県立大学大学院減災復興政策研究科、尼崎市との共同研究。

⑧地域通貨「あま咲きコイン」の経済波及効果推計：令和３年度より本格的にスタートした地域通貨「あま咲きコイン」について、第三者の立場で経済波及効果を推計。兵庫県立大学地域経済指標研究会との共同研究。

■執筆者一覧

[巻頭言]

	松本 眞	尼崎市長
	大久保 和正	尼崎商工会議所 会頭

[特別寄稿]

	森山 敏夫	尼崎市副市長
[Ⅰ]	津田 哲史	前近畿経済産業局地域経済部 イノベーション推進室 総括係長 近畿経済産業局地域経済部 地域連携推進課 総括係長
[Ⅱ]	清水 英樹	一般財団法人 近畿高エネルギー加工技術研究所（AMPI）
[Ⅲ]	加納 郁也	兵庫県立大学 国際商経学部・大学院社会科学研究科 教授
[Ⅳ]	小島 彰	産業技術短期大学 学長（執筆時点）
[Ⅴ]	能島 裕介	前尼崎市理事・尼崎市教育委員会教育次長 尼崎市理事・こども政策監 尼崎市教育委員会参与
[Ⅵ]	三宮 直樹	公益財団法人 尼崎地域産業活性化機構 常務理事兼事務局長
[Ⅶ]	美濃地 研一	三菱UFJリサーチ＆コンサルティング株式会社 政策研究事業本部 研究開発第2部（大阪）上席主任研究員
[Ⅷ]	吉田 淳史	尼崎市経済環境局長
[Ⅸ]	西岡 努	尼崎市経済環境局経済部経済観光振興課 係長
[Ⅹ]	加藤 恵正	公益財団法人 尼崎地域産業活性化機構 理事長 兵庫県立大学 特任教授
[Ⅺ]	藤野 夏海	公益財団法人 尼崎地域産業活性化機構 調査研究室
[Ⅻ]	宮崎 良美	公益財団法人 尼崎地域産業活性化機構 調査研究室

ウィズコロナ時代(じだい)の都市(とし)イノベーション

2023年6月15日　発行

編　者
発行所　公益財団法人 尼崎地域産業活性化機構 ©
（こうえきざいだんほうじん あまがさきちいきさんぎょうかっせいかきこう）
〒660-0881　兵庫県尼崎市昭和通2－6－68　尼崎市中小企業センター内

発売所　株式会社 清文社
東京都文京区小石川1丁目3－25（小石川大国ビル）
〒112-0002　電話 03(4332)1375　FAX 03(4332)1376
大阪市北区天神橋2丁目北2－6（大和南森町ビル）
〒530-0041　電話 06(6135)4050　FAX 06(6135)4059
URL https://www.skattsei.co.jp/

印刷：亜細亜印刷㈱

ISBN978-4-433-40613-4